凱信企管

用對的方法充實自己，
讓人生變得更美好！

用對的方法充實自己，
讓人生變得更美好！

畢業不怕失業

除了學歷，你更需要的是職場即戰力

推薦序

掌握大學的學習目標、方式與精神

大學有很多培養實力的學習機會與資源，但許多大學生不知如何利用或不懂得珍惜。從上課到打工，考試到報告，師生到同儕，社團到戀愛，學期到放假，畢業到就業……種種過程都含有學習的意義，包括獨立思考、專業知識、時間管理、金錢管理、研究方法、團隊合作、興趣培養、人際智慧、挫折容忍等等，只是不見得人人都能掌握。本書宛如最近許多大學開設的重點通識課程「大學入門」，幫助大學生充分掌握大學的學習目標、方式與精神。

國立政治大學教育學院教授

詹志禹 教授

推薦序

大學生必讀祕笈

作者王乾任並非光說不練的學者，而是能說能寫的專業作家。他行文之間，頗有洞察力，闡述道理，深入淺出。多年來，目睹他的奮鬥歷程和越界書寫，心想要是能下筆成書，跟大家分享，將是美事一樁。顯然，本書是一本祕笈，教導大學生如何練就一身功夫，以面對職場的挑戰。至於章節的安排，也展現超強的編輯力，尤其「關鍵語」和「延伸閱讀」更帶領讀者繼續強化自身的功力。

暢銷作家／花神文坊主人

辜振豐

推薦序

成功人生的公式

今天的台灣，大學數量多到讓外人羨慕，記得有一次去香港演講，幾個年輕的實習記者私下問到我台灣大學入學的狀況，當他們知道台灣的大學之多，個個都露出又驚又羨的表情，因為在香港，要上大學可是不容易的。而不管您認不認同台灣廣設大學的這回事兒，這卻已是個既定的事實。

台灣的大學很多，但在媒體上，台灣的大學畢業生卻常常被企業家在公開場合棄嫌，有的批評太過情緒化，有的批評抗壓性不夠；王乾任老師的這本書就是在這樣的時空背景下出來的，希望能在「大學多」的既定事實下，能進一步讓「大學好」。

在靜下心來讀過王乾任老師的這本書之後，我的腦海中浮現出一個公式：

學問＋品格＋人際關係＝成功的人生

事實上，一個人在「學問」、「品格」、「人際關係」這三者之中，只要具備其中任何兩個，即便缺乏某一個，等號通常依舊可以成立，依舊很有成功的機會，這邊的成功指的比較是傳統上的定義。當然，三缺其一，則即便成功了，仍顯得美中不足，舉例來說：一個腦袋裡沒有「學問」的成功人士，可能家財萬貫，但其談吐卻會少了那麼一份質感、氣質；一個生命中沒有「品格」的成功人士，一定讓人在背後搖頭不已；而一個沒有「人際關係」的成功人士，則必然孤獨甚至讓人敬而遠之。三者缺一雖仍能成功，但終究不完美。

如何在大學時培養自己的「學問」、「品格」、「人際關係」？這本書中著墨甚多，大學生如何培養自己的「學問」？而且是社會上用得到的學問？這本書教我們要藉由寫畢業專題或論文的機會來訓練自己的專案執行力，甚至是離開學校後，反而更需要認真讀書的原因；大學生如何培養自己的「品格」？本書建議包括在談戀愛中學會處理挫折的情緒，並懂得培養謙虛的性格等；大學生如何建立自己的「人際關係」？本書鼓勵我們善用學長姊與學家這種大學裡的非正式組織來學習與人相處，甚至是社團生活、宿舍生活都是很難得的人際學習。

西方歷史上廣受人尊敬的大衛王，曾有個極著名的禱詞：「求祢教我怎樣數算自己的日子，好叫我得著智慧的心。」足見善用每個日子、做好生涯規劃對這個王者而言是相當重要的課題，一個國王尚且如此敬業，一個大學生難道不該更積極的看待自己大學生時期的生涯規劃嗎？這本書是現在市面上難得一見的好書，可貴之處在於其很具體的把大學生以及新鮮人可以抓住的學習機會給一一點出，王乾任老師甚至提出了一個新興名詞：「接軌力」！可不是嗎？一個大學畢業生若能在求學期間培養出好的學問、品格、人際關係，如何能不順利的與社會接軌？如何能不成己達人呢？

輔仁大學醫學院職能治療學系副教授
台北市醫學人文學會理事長
暢銷書《信心，是一把梯子》作者
施以諾 博士

作者序

把大學讀好，比讀「好」大學更重要！

在現今大學生、碩士生滿街跑、薪資直倒退、失業率居高不下的就業市場裡，很多社會新鮮人都面臨求職困境，都會擔心「畢業即失業」。根據 yes123 求職網所做的「校園徵才與新鮮人求職調查」結果顯示，企業平均要過濾 27 封新鮮人的履歷表，才可能找到一個適合的人選。這數字告訴我們，在台灣大學生找工作真的很難。

有人將這樣的結果歸究於台灣的大學「百分百錄取率」之故，讓念大學不再是一件困難的事情，也造成大學生的程度與素質也不若以往的高。但是，我個人對此卻持不同看法。大學生素質變差，雖然有部分是廣開大學的緣故，但最重要的原因，則是在此情形下不懂得大學該怎麼讀出心得、活出獨特性的人太多了。廣開大學卻沒有相關應變措施，許多弊端將慢慢的浮上台面；許多新的大學只有大學的形式，卻沒有大學的傳統與文化，甚至不知道該怎麼將考上大學的中學畢業生，培養成「大學生」。

並不是通過大學入學考試，學生就自動懂得大學該怎麼念？直接套用中學時代的讀書方法進到大學課程，通常結果都很慘。如果說中學時代靠記憶與背誦來學習知識，那麼，大學要學的毋寧是生產、製造這些知識的方法，大學應該有另外一套截然不同的學習方法與終極目標。另外一個問題點則是，忽視了大學生活中非正式課程（如：社團生活）的重要性。越來越多大學生忙著打工賺錢，進學校只是應付上課，下了課就走人，依然用中學的研習方式來讀大學。其實，大學的非正式課程，某種程度而言，可稱得上是學子們未來出社會工作所需技能的預先練習、培訓之場所，大學生參與非正式課程越多，越能累積出社會後所需的職場軟實力。如今，許多畢業生出社會之後無法無縫接軌，就與不懂善用大學時期寶貴資源學習，未能即時培養職場所需能力有關。想把工作做好，絕對不是把書讀好就足夠的。

老字號的大學校園，可以透過學長姊或社團等非正式課程，將大學的文化與學習方法傳承下去，但是一些新成立的大學可能缺乏這類資源，且在一開始時沒有留意到非正式課程對於大學生未來生涯塑造的重要性，促成了許多畢業生有職場適應不良的結果。

還有一個現象也值得特別關注，那就是現今的大學生也就是這一群社會新鮮人的抗壓性太差，以致於被大多數的企業冠上草莓族的封號，沒有一個企業願意雇用一個一捏就爛、一踩就扁的草莓族，所以這也是大學畢業生在職場難以順利的一大因素！因此，如何在出社會之前，也就是大學生活裡，增加學生的抗壓性，也是非常重要的一件事。

總之，雖然可以念大學的人變多了，不過真正懂得如何念大學，充分運用大學資源，增強自己實力的人卻變少了。有鑑於此，激發了我著作這本書的構想，本書從大學正式課程與非正式課程的學習方法談起，點明大學課程的目的、學習之道，以及這些課程安排與日後出社會工作之間的關係。另外，企業主也應該明白，選才與升遷的標準應不要再完全以學歷作為評鑑依據，否則根本不會真正看到求職者們具備的「軟實力」，一來容易錯失適合公司的人才，二來，也是在變相的逼迫那些不適合念大學的孩子們，放棄自己規劃好的最佳藍圖，而在大學校園中變得碌碌無為。

最後，我還要與大學生們共勉的是，在我們人生旅途裡會經歷許多不同的階段，而大學時期也許可能是你一生中最美好也最難忘的時期，也是對未來影響最深最鉅的階段。所以，不妨趁著在大學裡當你還什麼都不是卻什麼都有可能成為的時候，多用一點心，多去看一看，用每一個不同的角度去試試自己的能耐，你會發現原來自己也有無數種的可能。

王乾任

目錄

第二章：大學作業，就是職場工作的企劃案

寫報告可以鍛鍊你的觀察問題的能力、蒐集資料能力、寫作能力、論述表達能力、邏輯思考能力、批判反省能力，與不同意見者對話的能力，這些能力將是你職場工作的企劃力。

第三章：下課後——社會／職場軟實力的學習

很多企業開始檢討起大學教育和實際就業需求脫節的問題，要求大學增加實務課程，幫助學生能夠一畢業就儘早融入職場環境。其實，大學畢業生無法快速融入職場環

境，並非大學課程與實務工作脫節，而是如今的大學越來越不重視能幫助大學生培養就業所需的軟實力的「非正式課程」。

第四章：戀愛這門功課，決定職場挫折忍受力

談戀愛，但卻不荒廢其他大學生活該做的事情，課業、社團與打工，除了約會的日子之外，該做什麼就去做什麼，不要為了戀人而放棄大學生活。戀愛可能分手失敗，可能再次邂逅，大學生活卻只有一次，如青春小鳥一去不返。無論單身還是戀愛中，請記住：愛別人前要先好好愛自己，你是寶貴而值得珍重的。

第五章：打工，你知道是為了什麼嗎？

寒暑假，大學生們打工打得昏天暗地。我認為，與其選擇高薪工作，不如選擇自己的興趣、專業相關，或者將來有志投入的領域。或許賺的錢少一些，但卻可能讓自己學到很多花錢都學不到的經驗，而且結交了一批很不錯的夥伴，將來在事業上可以互相提攜。

第六章：畢業進入職場的前五年，決定你的一生

出社會後的學習，是解決問題的學習，是學以致用的學習，是求生存或改善生活環境的學習，是遠比在學校時為了應付考試而學習來得重要得多的學習，所以應該比在學校讀書的時候更認真，更努力才對。只可惜很多人輕忽怠慢了，以至於落後於其他人

而不自知，不知不覺中被殘酷的就業市場給淘汰，甚至連自己怎麼輸掉都不知道。

【附錄】

入學抉擇——成功築夢者的第一塊基石

大學新鮮人心理分析：心態在哪裡，你的起跑點就在哪裡！

度過了國中、高中死背、複製的學習階段，現在的你即將邁入大學的殿堂，你希望過著怎樣的大學生活呢？你希望在畢業後擁有怎樣的競爭力呢？我們特別整理了一些檢測，透過檢視這些問題，都可以更了解自己內在的聲音，進而朝夢想啟程！

你夠了解自己嗎？

◎**問題一**——我習慣了上補習班的生活，如果剛好哪一天不用去，我會：

(1)不管做什麼都可以，有喘息到就好。

(2)感到非常的開心，一定要約朋友出去大玩特玩才甘心。

◎**問題二**——家人非常關心我的「錢程」，總是叫我接受他們對未來的規劃，我會：

(1)感到不開心；我自己的未來，應該由我自己決定。

(2)反正我本來就沒什麼專長跟興趣，父母規劃好，我也省得擔心。

◎**問題三**——我對明天的考試很沒有把握，但是同學約我晚上去參加派對，我會：

(1)交際雖然很重要，可是晚上拼一下，說不定就不用補修了呢！

(2)反正晚上抱佛腳也不一定會考好，乾脆跟大家去玩比較實在！

◎**問題四**——好朋友功課比我好、朋友比我多、寒暑假也常常出國遊學，我會：

(1)雖然羨慕，但是每個人都有自己的優點，不用特意去比較。

(2)很羨慕，不過也只能怨自己條件比別人差，要認命。

◎**問題五**— 我對於自己被交派的事項，態度通常是：
(1)我對做事有一定的標準，即使遇到困難也不會輕易草率完成。
(2)看心情，不過大部分都是應付了事。

◎**問題六**— 我認為跟不同的人相處是一件：
(1)好事，也許我不需要跟每個人都成為朋友，但是我一定可以從他們身上學到東西。
(2)很麻煩的事，道不同不相為謀，我有自己的一小群朋友就很滿足了。

◎**問題七**— 如果父母會負擔我的學雜費跟基本生活費，選擇打工時，我會：
(1)優先考量興趣的探索跟專長的養成，錢少一點沒關係。
(2)優先考量薪水高低，因為上了大學玩樂變多，這些事當然不能給爸媽知道。

◎**問題八**— 在面對自己不喜歡而且作業很麻煩的必修學科時，我會覺得：
(1)列為必修一定有它的道理，如果不能把專業知識學好，至少可以學會統整跟找資料的能力。
(2)沒有什麼意義，翹課好了。

◎**問題九**— 今天的教授上課很偷懶，卻很重視出席率，這時候我會：
(1)出席，但是會做自己的事、念自己要念的書。
(2)出席，反正老師不在乎有沒有人在聽課，所以就當來補眠。

◎**問題十**— 我在跟同學進行分組報告時，通常喜歡：
(1)分派任務，擔任統籌的角色。
(2)能躲就躲，挑個最輕鬆的來做就好。

起跑點分析：展開你欲飛的羽翼

回答完以上十個問題，你都記好自己的選項了嗎？那就繼續往下看吧！

回答(1)的次數為9～10次→積極熱血型
回答(1)的次數為6～8次→蓄勢待發型
回答(1)的次數為3～5次→時冷時熱型
回答(1)的次數為0～2次→內向隨和型

現在，你知道自己是哪一種類型了嗎？不管你現在的身份是大學新生或老鳥，這裡都有一些你可以參考的描述跟建議！

・**積極熱血型**

※狀況描述

你在學習的生涯中積極的各方探索，把握每個讓自己成長的機會，所以你顯得特別、成熟、穩重許多，但這可能衍生兩種情況，第一種，是你受到大家一致的肯定跟認同，所以你可以很自信的往夢想的路上繼續前行。

另外一種，則是周遭的人因為你的不同而與你保持一定的距離，很少與你真正扶持跟志同道合，雖然你的目標感強烈，但內心其實經常遭受到無形的打擊，長久下來，有些人可能就會往「蓄勢待發」、「時冷時熱」型發展，所以找到支持自己的心靈力量是很重要的。

※建議

首先恭喜你，你的自發、克制跟樂觀讓你擁有了「成功」的資本，這裡說的成功並非單指世俗標準，更多還有你對「自我實現」的定義。不過就像上面所說的，在學期間就比他人較深思熟慮的你，可能會遇到一些人際上的挫折，但你要明白，有捨就有得，每個人的生命走向不同的道路，都是由當下的種種選擇造成的。祝福你，繼續傾聽自己內心真正的想法勇敢向前邁進。

・蓄勢待發型

※狀況描述

你對於未來有一顆期待的、開放的心，但實際目標還不夠明確，還未找到真正的未來理想。現在的你擁有無限的可能，雖然還沒有走在夢想的路上，但現在在各領域積累的能量，都會成為將來實現夢想的助力，幫助你未來飛得更高。

※建議

找到夢想的時間早晚，並不影響夢想實現的可能性。在人生中最自由的這一段求學時間，盡量去探索自己的興趣，發展自己的人脈跟專長，請將每個學習到的體悟內化，可以用刪去法、比較法選出內心真正的喜好；並且，也要有意識的給自己一個期限，例如：在大三下學期的暑假要找到自己真正有熱情的事物等等，這樣一來，在畢業前做的努力，才能真正對你的職場生涯有益。

・時冷時熱型

※狀況描述

你現在正處於一個尷尬的時期，大學對你來說，就像讓你大開眼界的新天地，過往被教條、體制等等限制的你終於感到有喘息的空間，當然，你心底也隨之升起了小小的夢想火苗，開始對自己有一些具體的期許。但是由於現實與理想中的自己還是有一段不小的差距，導致你經常感到挫折，看待事情的標準也容易左右搖擺。有意識到這一點的你，甚至偶爾會默默的生自己的氣，最容易養成往後在職場上愛抱怨的特質。

※ 建議

首先，給自己多一點信心吧！你可以決定揚棄過去的哪些限制、昇華過去的哪些經驗。有時候，有機會反省的人，進步的動能會比看似永遠領先的人大得多，多跟有想法的同儕們往來，多參與各類活動來開拓自己的眼界。

你也可以為自己做個階段性的計劃書，將你需要完成夢想的途徑一步步寫上去。另外，了解自己、對症下藥也是很重要的；如果你是個被動的人，卻又需要強迫自己改掉某些習慣，那就把自己丟到某個環境裡去；例如：想變活潑的內向孩子可以去參加康樂服務性質社團、想學會察言觀色的孩子則可以到打工場所去歷練喔！

・內向隨和型

※ 狀況描述

你在人群中不太顯眼，優點是隨遇而安、沒有特別的欲求；但若要說缺點，就是有些悲觀主義，也總是給人消極的印象。這或許是因為你的家人已經為你的未來做好了規劃，也可能是因為你的決定長久以來總是得不到正面的支持；所以你習慣於表面的附和跟認同，但其實，你一直為忿忿不平的情感所困擾。

※ 建議

大學的你，因為自由的時間比起過去多出很多，如果依照過去的生活模式，一不小心就可能變成一天到晚窩在宿舍的「宅男」或「宅女」囉！建議你，縱使不喜歡或不習慣走入人群，在大一、大二時還是必須盡量讓自己參加校內校外各種活動，因為你可以從多方的資訊刺激中，去了解自己真的是「生平無大志」，或其實是因某些因素而壓抑至今；若為後者，那麼請盡快擺脫自艾自憐，想辦法投入在自己喜歡、有信心的事物中，如此一來，才不至於虛度四年歲月，出了社會還繼續怨天尤人喔！

踏上尋夢的道路！我的幸福大學公式，專業＋軟實力，成為快樂社會人

要上大學，第一步也就是最重要的一步，就是：選擇學校跟科系。

依我的觀察，有80％的高中職學生在這個階段因為內憂外患，根本無暇認真考慮，這時候的「外患」指的當然指考跟學測，又要忙著準備備審資料以及規劃學校面試，太多的資源跟訊息根本沒有時間好好消化。而與外患相對的，就是「內憂」；也就是學生們的親戚和家人了。

為什麼會這麼說呢？首先我必須說，如果親子間的關係平常就算不上「交心」，根本很難知道孩子真正的興趣與期待，而只能從「未來的前景發展」、「學校的知名度」等表象的資訊來苦心為孩子規劃。而第二點，則是處於一個資訊快速變遷的世紀，父母求學時期的觀念已不敷現在使用，例如當時一般認為，只要考進北部的台〇大學，無論什麼科系都一定是最好的，但現今如果要攻讀日文，更多的好口碑其實是指向台北士林的某私立大學；所以，除非家長真的非常有心，依照孩子的心之所嚮勤做功課，否則大人講的越多，當事者反而更加迷網，甚至可能演變成家庭衝突，更是得不償失。

以下，我們為即將面臨抉擇的高中生、想變換跑道的大學在學生；以及關愛孩子的家長們，整理出了幾個有關大學、科系選擇的要點，期盼能對你有所助益：

選校還是先選系？

・**先選系**：

以系所選擇為優先的人，應該多少確定了自己真正的愛好跟專長，在這樣的狀況下，步驟就簡單得多囉！

①列出你願意就讀的區域中含有此科系的大學
②仔細比較該科系的課程說明
③看看該校是否具備養成其它軟實力的環境

第二點的重要性，是在於最近出現了太多名稱相像的系所名稱，乍看之下差不多，但實際的教學內容、人材的培養方向卻是大相逕庭，為了要符合自己心中的藍圖，較準確的方式便是到該系所的網站去查看課程規劃。

第三點也是很重要的，有的學校會刻意地將精力放在它們較強的科系經營上，相對的，其它軟硬體設施、校內外活動規劃就可能會有不足的地方，如果你正是為了該「較強」的科系選擇此校，也要考慮到大學時期非專業領域實力的養成與眼界的拓展是否足夠；或是也可以考慮退而求其次，改選另一所該科系也算強，但亦著重全人教育、發展的大學喔！

・先選校：

以學校選擇為優先考量的人，可能是為了該校頭銜的光環、離家遠近、生活的便利性、整體的教學環境等等，但應該較少意識到自己未來真正想做的事，不過，有時候多方的探索加上因緣際會，照樣可以為人生開始新的一頁，你需要的步驟有下面幾點：

①無論你選擇的標準，首先，先列出你想念的學校
②從中列出你較有興趣學習的科系
③上網看科系資料，最後保留一至兩個你喜歡的科系

④如果一開始你的選擇不是以整體教學環境為標準，那麼最後一步請你以此為最後篩選標準做選擇

你可能會發現，不管是哪一種方式，都必須以整體的資源跟教學環境做最後的考量，這是因為，選校、系的先後順序，雖沒有一定的標準，但唯有「整體教學環境」不可以忽略，正如這本書的宗旨：「念大學，就是開始開展眼界、累積經驗、實力的平台。」所以考量軟實力的養成，是選擇校系外的第一要務。

每一種軟實力都會在某個時刻派上用場，助你飛得更高

教育專家說，嬰兒要大量接受適當的外在刺激才能促使行為能力發展良好，大學生也不例外，現在的你們，擁有無限的潛力，應該多趁此時多方涉獵，不管是專業知識、打工經驗、社團活動、戀愛學分等等，皆可成為將來成長茁壯的養分。

有的學校，以社團多樣化出名；有的因地利之便，有機會接觸許多展演與藝文活動；有的致力於國際化；有的則因其有為數眾多的國際間姊妹校，而受到許多打定主意要體驗交換學生生活的學子青睞，而這些東西，如果沒有綜觀去瞭解的話，面臨志願選擇的高中生們，很容易用國、高中「分數獨尊」的印象來做取捨，錯過了這麼多有趣的事的話，可是非常可惜的呢！

最後想告訴即將經歷人生嶄新里程碑的年輕人們，敞開心胸才能將人生過得精彩、思考獨立才能走出不同凡響的道路。現在，你是不是迫不及待地想知道，要如何具體的充實大學生活，以及大學殿堂裡的祕密究竟跟接軌職場有什麼關係了呢？趕快往後看下去吧！

PART 1

大學就是要讓自己學會**獨立思考**

大學教育的價值就在於學會獨立及批判的思考，透過思考方法，製造生產最新的知識，至少也要學會應用知識解決問題，如此才不枉四年大學生活所繳的學費，也對出社會後直接與職場接軌有幫助。

1. 懂得判斷知識真偽與解決問題！

不是考上大學，就自動學會念大學的方法，特別是大學修習的課程，學習與評量的方式，從根本上來說，都與高中以前的學習方式大不相同。

高中以前，我們學習的是課本上既定的知識，以死背填鴨的方式記憶，只要考試能考高分就好。

大學則不然，雖然大學分有各種科系專長。不過，總的來說，課程設計的核心目標是一樣的。大學的課堂，課程設計與學習最終目的，是讓學生學會生產與創造知識的方法，而非死背那些課本上的知識與理論。

知識論述會過時，且會不斷更新、修訂，而非僵死不動。懂得生產知識的方法，才能自行生產或檢證知識的真偽。特別是這個喜歡假託科學研究成果來替產品／服務背書的時代，更要懂得判斷知識真偽的方法，這套方法正是大學所要傳授的核心課程內容。

我們應當把大學四年的所有課程，視為一個整體來看待：大一時學的是被確認為短時間內不會推翻或修正的學科知識。如，社會學概論、政治學概論、經濟學導論……。

大二開始學習學科發展史（如：XX學思想史）、邏輯學，與一些進階的學術次領域（如：社會系會修人口學、犯罪學、社會心理學），以及學科研究所需的工具（如：問卷調查與統計、XX實驗方法）。

大三開始接觸「研究方法」，學習一整套生產學科知識的方法（論），容我這樣說，大學四年所有其他的課程都可以學得不好，就是研究方法這門課一定要學好。研究方法教的是如何生產製造學科知識，同時還是一套解決問題的方法，熟練研究方法，未來出社會也很好用。

一般來說，研究方法不脫以下五種步驟：

發現問題意識→探索文獻→建立假設→驗證假設（使用問卷調查、統計分析或實驗方法）→提出結果與檢討反省。

無論大學科系多麼細分，傳授多麼先進的科學研究成果，但大學所教的根本就是「獨立思考、批判與終身學習」，大學課業的重心，就是讓自己將這三大核心價值內化於自己的身體和靈魂之中。

大四最重要的課程是專題報告或論文寫作，這門課幫助你重新複習大一到大三所學習過的所有課程、研究方法、實驗工具，以實際操作的方式熟練每一種學科知識與工具，同時可以探索自己對於做學問的興趣，判斷未來是否要繼續升學。

學習如何學習，學會如何問問題，搞懂解決問題的方法，就是大學正式課程上課內容所要教會你的事情。

另外，檢討、反省、批判與修正既有學科知識，也是大學教育的核心學習目標，在學會生產或製造知識同時，也要懂得檢視他人所生產／製造的知識是否符合科學方法，是否正確？有無魚目混珠或欺矇詐騙之處？

千萬不要上了大學，還繼續沿用高中那套死背的讀書方法，就算因此拿到高分、書卷獎，若學不會生產知識、思考的方法，時間久了死背的知識都會遺忘或過時。

大學教育的價值正在出社會多年後，在校所學的學科知識都遺忘之後，運用獨立及批判的思考，透過思考方法，製造生產最新的知識，應用知識解決問題，如此才不枉四年大學生活所繳的學費，也對出社會後直接與職場接軌有幫助。

職場需要的是面對問題時，知道到哪裡找到資源來解決問題的人，懂得解決問題，是職場最需要的軟實力，擁有這項能力的人，也將成為人人搶著要，炙手可熱的人才。

解決問題的能力就藏在學科知識生產的方法中，大學四年所寫的研究報告、可以Open Book的考試、社團活動，都是在幫助學生反覆實際操作，進而熟練這套解決問題的方法，這就是大學最好的職前訓練。

打造職場軟實力

◆生產、製造知識的能力

◆ 解決問題的能力

延伸閱讀

梅森．皮里《邏輯即戰力》——所以文化

安東尼．威斯頓《學會思考，你贏定了！》——所以文化

Stella Cottrell《批判性思考》——深思文化

能力學習

大學是甚麼？

「什麼是大學？」台大醫學系教授謝豐舟教授說，「就定義而言，大學是追求高等教育和研究，給你學位的地方。「university」這個字源於拉丁文「universitas」，意思是「universitas magistrorum et scholarium」（community of teachers and scholars）。」

文藝復興時代的歐洲人因為重新對希臘羅馬文化感到興趣，於是創辦universitas，希望重建Academy of Plato的精神，而有了現代大學的前身。世界上第一所大學是西元425年創辦的康士坦丁堡大學，擁有今天的大學的特質，像是研究、教學、自治與學術獨立。

十九世紀末，大學逐漸發展成兩大流派，一種是德國式（又稱洪堡德式），重視自

由、討論與實驗；一種是法國式，重視管理，不過最後是德國式的大學勝出，成為今天所有大學的發展典範。大學存在的精神，則是文藝復興的人本主義，重視通識教育，一種使人自由思考的教育，包含廣泛的學習、批判精神、終身學習等三大內涵。

大學一定要學會的能力——Learn How to Learn！

大學本身的資源好不好，和能不能培育出好的大學生，沒有直接關係。就像一些很窮的學校或國家也能培育出優秀的運動員或人才一樣，富裕或貧窮、資源的擁有與否，並非培育人才的關鍵。

能否掌握正確的「學習方法」，透過這套學習方法幫助自己不斷進步，才是問題所在。大學教育最重要的，就是訓練學生掌握這套「學習做研究的方法」。簡單說，就是Learn How to Learn，學習如何學習，學會學習的方法！

無論什麼大學，只要肯用心學習，絕對能找到足夠的資源，幫助自己學會未來一生受用無窮的核心能力：獨立思考的「學習／研究方法」，一種以有系統的科學研究方法尋找資料、解決問題的能力，「Learn How to Learn」的能力。

「學習／研究方法」，「Learn How to Learn」的能力，具體來說在大學裡要去哪裡學？很簡單，無論你讀的是甚麼科系，大二或大三時，一定有教學生做出這門科系學問的「研究方法」的課程，以社會學系來說叫做「社會科學研究方法」、「社會科學方法論」。不同科系有不同的名稱，但教的都是如何找問題、找資料、抓主題、設計實驗／統計問卷，得出研究結果的研究方法。

大學裡的教授之所以在獲得博士學位後，可以在大學裡從事與讀書時代所學完全不相干的嶄新領域研究，靠的就是科學研究方法／方法論的訓練。

有心向學的學生，只要找到一個願意指導你的教授，平日裡多向對方請教做研究的方法，甚至請對方給你一個研究助理的兼職工作，從做中學，加上好好學習研究方法、方法論、理則學（邏輯方法學），就能掌握基本大學畢業生應該具備的獨立思考、問題解決、行政執行能力。

網際網路發達的今天，如果只是想要知道知識的內容，上網Google就好了，網路上隨便找就能找到一堆答案。大學生涯最首先必須掌握的，不是什麼外語能力或專業知識，而是自我進修做學問、獨立思考的能力；其次是人際關係與人溝通的經營能力、行政執行的能力；再次才是外文能力。

獨立思考與解決問題能力，就靠大學裡的研究方法、方法論、理則學這三門課程來培訓基礎能力，跟著學校老師實際作研究來操練。

人際關係與行政執行能力的培養，則靠社團、戀愛與打工經驗來累積。如果可以，有獨立外宿、克難旅遊或遊學等，凡事得自己打點的生活經驗，更是加分。至於外文能力，重要的是掌握該門外文背後的世界觀、文化觀、價值觀、思考邏輯，而非字彙、文法、片語，外文能力可靠大量持續且殷勤的聽、說、讀、寫練習來補強，並非難事，外文能力不好多半是心態上無法克服說外語的害羞，加上缺少實際練習經驗。

未來的社會真正需要的人才是懂得獨立思考、解決問題、行政執行、人際溝通等能力的人，而不是光會背書考試拿高分的學生。大學的價值在於學習「Learn How to Learn」，不是混個名牌學歷將來好繼續升學或找個高薪工作。

2. 課堂規劃力是大學生活成敗的關鍵！

不若國高中時期，週一到週五，早上八點到下午五點半，每天都是滿堂八堂課，下了課還要補習，毫無喘息空間。上大學之後，一週二十堂課已經算很多，卻也不過佔去一週兩天半的時間，除非課能排得很漂亮，全部集中在一起，否則必然會出現中間有空堂的時段。

學校不大，又住宿舍的話，可以溜回宿舍睡覺或鬼混。若是通勤上學的同學，空堂時間如何安排，著實影響著大學四年的學習成果。空堂時間最好的安排，是去圖書館、電腦中心、社團辦公室或影音視聽中心。去圖書館除了讀書找資料，其實也是安靜休息的好地方，也可以讀讀報紙雜誌，吸收新資訊。可以寫作業或去社團辦公室，看看能否遇到熟人聊聊天聯絡一下感情，寫寫留言本，或處理一下社團的事務。

不過，絕大多數時候，如果一個人，那就去影音視聽中心借影片來看，或借演講錄音帶來聽。當然現在網路上甚麼影片都抓得到，網路上也有各種的免費演講可以聽，不過，學校影音中心的設備好，而且收藏有許多經典名片，還是蠻適合空堂時間使用的。

除此之外，跟同組同學約討論作業，跟女朋友約個小會，自己找地方讀書或準備報告，聽演講，運動（跑操場、游泳、重量訓練等等）……都是善用空堂時間的好方法。最忌諱的就找地方倒頭就睡，或者胡亂上網打發時間。

越懂得安排空堂時間，代表你的時間管理與規劃能力越好，這一點對於出社會後的工作效率大有幫助。

時間是很公平的，每個人一天都是二十四小時，懂得利用零碎的時間，就是儲蓄時間。

試想，如果一天有兩個小時的空堂，一週五天就是十小時，一學期十八週就是一百八十小時，四年八個學期就是一千四百四十個小時，相當於一百八十個工作天，如果都是閒打混，就等於浪費掉半年的時間，換算成薪水，即便一個月只有22K，也是十幾萬元的損失，不容小覷。

做任何事情之前，應該想一想成本效益的問題。兩個小時的空堂，到底要拿來睡覺，還是拿還看電影，或看書？同樣的道理覺得某堂課很無聊，不想上，想蹺課也不是不行，只是必須想清楚：

1. 自己蹺掉的這堂課，上課內容是否已經學會？若還沒有，有辦法透過自修或跟同學借講義來讀補起來嗎？
2. 非得蹺課去做的事情，是否真的比上這堂課來得重要？還是，只是單純想蹺課，蹺了課卻無事可做，也只是瞎混或睡大頭覺？

大學四年，每一天的24小時都是屬於你的，你要怎麼使用都是你的自由，然而，正是這份自行支配四年大學生活的自由，決定了你大學生活的品質。到底是瞎混過完四年，還是有計畫的安排，讓自己可以善用大學資源，提升自己的課業實力之餘，還能透過非正式課程學習到未來出社會所需的職場軟實力？

大學非正式課程，幾乎都在空堂和下課之後的時間展開，懂不懂規劃課堂與課堂之間的空堂，以及下課後的時間使用方式，就成了決定你大學四年生活成敗的關鍵！

十分建議大學生最好都住校或住在學校附近，充分享受下課後的大學夜晚生活。大學的夜生活是很多采多姿的，可以從中學到很多事情（例如：社團活動幾乎都在晚上時間進行）。

就算非得通勤上下學不可，也千萬不要沒課了就回家，最好還是留在學校，安排一些社團活動或使用大學校園資源強化自己的實力，才不枉繳了那麼多學費來讀大學。大學的正式課程能教給學生的東西很有限，且大多侷限於專業知識，要在大學裡學做人處事、做事方法，結交人生一輩子的朋友，培養一輩子的興趣與志業，大多是利用空堂或下課後時間完成的。

打造職場軟實力

- 時間規劃
- 機會成本
- 成本效益

延伸閱讀

呂宗昕《時間管理黃金法則》——商周

Richard J. Light《哈佛經驗：如何讀大學》——立緒文化

能力學習

時間管理的拿鐵效應

小心，時間管理的「拿鐵效應」。

「拿鐵效應」，原是投資理財觀念，指人每天不自覺的喝掉一杯拿鐵（拿鐵可以換成任何讓人成癮，而每天非得掏錢購買的小東西，例如香菸、罐裝飲料等等，都可算在其中），每天便不自覺多花掉了105元，一個月就是3150元，一年就是37,800元。

十年下來，不是378,000元，還得加上複利效應，即便如今的定存利率僅剩2%左右，十年下來，經過複利效果，是筆超過五十萬的大錢。

投資理財專家以「拿鐵效應」指出，每天省小錢，做出正確的投資，十年之後，在複利的發酵下，將成為一大筆可觀的資產。

「拿鐵效應」可用作時間管理上的自我提醒，一般人每天總是不自覺的浪費掉了許多寶貴的時間片段。這些每天被浪費掉的寶貴時間，就像我們不自覺的每天買杯拿鐵喝所花掉的錢，以為沒多少錢，但累積起來，卻是相當可觀的損失。

舉例來說，通勤上下班的上班族，有多少人認真看待這每天都要花掉的時間。假設一天上下班通勤得花上一個小時，一週就是五個小時，一年五十二週就是260小時。30年下來，就是7800個小時，將近一年的時間，就這樣白白浪費掉了！而這還只是通勤時間，時間管理的拿鐵效應，比金錢的浪費更加嚴重，畢竟錢沒了還可以再賺，時間流逝了就不再回頭。

如何使用空堂，正是時間管理的最佳練習。空堂可以睡覺鬼混閒聊天，也可以找資料寫作業準備功課，怎麼規劃都可以，而結果將會展現在日後每個人實力的差距上。

如果，我們能夠善加規劃通勤時間，拿來閱讀、學習、思考、準備工作行程，則日子一長，自己的競爭力就會不自覺的累積出來。然而，可惜的是，每天看著公車捷運上的通勤族們，絕大多數人只是低頭滑手機或者講電話實在很可惜。

下了課有的人認為好累，只想看電視上網打電動放空；有的人雖然也看電視，但適可而止，知道該看什麼看多少，絕不沉溺，並且每天規劃一段時間，作為自我進修、學習、思考或減壓之用，讓自己明天一樣能夠元氣滿滿的上班，替自己創造最大價值！

不沉溺於惰性最好的方法，是有計畫地安排自己的日常行程。做計畫不是為了按表操課，而是給自己大方向和提醒，偶爾可以有彈性的放鬆，但至少七八成的行程可以按照預定計畫走，不讓惰性牽著鼻子走，盡可能走在預定行程表上，且讓此一遵守行程表的做法內化為自己生活習慣的一部份，堅持一直做擅長或對的事情，一個人的競爭力將在此顯現。

《富爸爸、窮爸爸》一書中，有一個非常正確的花錢觀念，也非常適合援用到「時間管理」上來。作者認為，年輕人花錢，應該花在可以幫助你「再生產」，或者具「累積性」的東西上，而不是花在會耗損、折舊，只有一時快樂卻對自己長久生涯規劃毫無幫助的消耗品上。舉例來說：花錢買進修課程，提升自己的實力是具生產性的消費；花過多錢買流行服飾或上餐館大吃大喝浪費掉，則只是耗盡式消費。但如果上餐館吃飯或買衣服是有計畫地購買並且經營個人部落格，建立個人形象，則又成了再生產式消費。關鍵在於，這個消費行為能否幫你的未來創造收益而不僅僅只是把錢花掉了。

再如：同樣一筆錢，當做購屋頭期款，投入購屋，可以保值甚至增值。若是買車就只換來耗損，還有保修、油錢、稅金支出，除非買車能替你創造更高的價值，否則寧可買屋，或者乾脆不買，存起來當作投資的第一桶金。

對於我們寶貴而有限的時間，也該比照辦理。不浪費時間去做不能累積個人實力的事情，選擇做能夠幫我們創造更大效益的事情。審慎的做好時間管理，將零碎時間做有系統的安排，作為自我提升、自我投資，創造得以再生產的價值，留心不要浪費了我們寶貴而不再回的時間！

3. 問對問題，就解決了問題的一半

之前有新聞報導指出，台灣的大學生上課不發問，引發輿論一片檢討之聲，認為大學生上課不發問太不應該。《哈佛經驗：如何讀大學》一書對此議題，顯然有不同理解。作者Light教授發現：在哈佛，亞洲學生也較傾向不發問，非但如此，在美國的各級學校裡也都有類似情況。

根據調查發現，亞洲學生認為上課發問是剝奪了其他同學的聽課權，因為發問會占用老師的授課時間，導致授課進度來不及完成。某種程度上，台灣學生不發問，應該也有此文化性格的影響，不過，卻也反映了東西方社會對於課堂學習的理解上的預設差異。

對歐美學生來說，至少是大學生，上課之前，先行完成指定教材的閱讀，然後來課堂上一面聽教授講解，一面檢視自己事先閱讀的理解狀況，若遭遇問題或不懂之處，再行提問。反觀東方文化下長大的學生，習慣來課堂上聽授課老師講解課程內容，較少事先預習。就算聽不懂或有問題，也很少會公然在課堂上發問，多半是下課後找同學請益或私下請教授課老師。

公開發問令人感到害羞、不好意思占用同學的時間外，更容易讓其他同學覺得自己笨，這對重視分數與排名的亞洲學生來說，是某種無法承受的心理壓力。

那麼，到底上課該不該發問？

我認為要看個別授課教師的狀態而定，如果對方擺明不希望學生上課時間舉手發問，最好還是尊重授課老師的自主權。另外，一兩百人的大會堂課、通識課也不利發問，十數人以下的小班教學、研討性質較濃厚的課程，較適合發問。

若是老師允許甚至鼓勵學生發問，甚至每節課堂授課也會安排讓學生發問或是直接和學生進行討論的時間，或將課堂發問明訂為打分數的標準時，那就該積極發問。

不過，若要在課堂上發問，千萬不要問出果真讓其他同學覺得你很笨的蠢問題。應當事先閱讀當堂課的指定教材，整理與消化吸收後，找出自己仍有疑問的部分，當老師授課到此一進度時，配合課堂節奏發問或與老師進行討論。

大學課堂上的發問，並非只是針對自己不懂的地方提問而已，還是針對與自己不同意見者提出質疑的一種表示。正確的提問是非常重要的一項專業能力，代表一個人能從一段周延的論述或文章中，看見不足或不懂之處，並以一套簡短而扼要的敘述將想法表達清楚。提問力摻雜了資訊歸納、整合，以及口語表述能力之大成。

懂得提問，對於在職場工作的幫助非常大。像律師、法官、記者、主持人這樣的工作，懂不懂提問方式相當程度影響其工作績效的達成。

我們都看過電視新聞的記者，提蠢問題訪問民眾的例子；不少人應該也看過賴瑞金或歐普拉等知名脫口秀節目主人，專業、深入而精準的提問吧？

即便是一般上班族，提問力也是非常重要的。當上司交代一件工作，卻交代得不清不楚，如何巧妙的提問，將直接影響到你之後的工作狀況。

代表公司與合作廠商開會時，提問力更是不可或缺的職場即戰力。前面提到了，提問題是資訊歸納整理能力的展現，在唇槍舌戰的商戰會議場上，懂得提問，質疑對方的主張，才能捍衛公司的權益，不至於被合作廠商占便宜或吃豆腐。

打造職場**軟實力**

- **提問力**
- **說話術**
- **表達力**

延伸閱讀

大前研一《質問力》——天下雜誌

喬·納瓦羅&馬文·卡林斯《FBI教你讀心術》——大是文化

能力學習

閱讀的四個層次

閱讀有四個層次（後一種層次都包含前一種層次的技巧和功能）：

一、基礎閱讀

指的是學會認字。這是閱讀能力的基本，是小學程度必須學會的閱讀技能。這個層次上的閱讀重點在，認出書籍上面的每一個字，知道句子在說什麼，或許還不一定明白每一個字後面的意思，但至少已經能夠唸出來。

學會基礎閱讀，必須具備視力、聽力、起碼的認知能力（基本智商）、口齒清晰、學習能力、注意力等等。這個層次的閱讀，重點是字彙、文法、片語的學習，熟練與累積。

二、檢視閱讀

指在有限時間之內，抓出一本書的重點，或讀完一本書。檢視閱讀必須能夠充分的學會系統化略讀，從表面去觀察這本書，學到書的表象所教導的一切。重點在於了解，這本書想談什麼，這本書的架構等等。

學會檢視閱讀，可以幫助自己在短時間之內，判斷一本書值不值得讀？

「目錄閱讀法」，便是檢視閱讀的一種整理和濃縮。從書名、作者、譯者、書籍文案、出版者、目錄、序言、導讀、結論之中，盡可能掌握書籍資訊。

系統性略讀有兩種功能：

1. 可以幫助我們大量蒐集資訊；
2. 為較困難的書籍打基礎。

在閱讀困難的書籍時，先進行一次略讀，抓出這本書的架構、核心問題、論述說法與無法理解的部分。第二次再回頭來讀，藉助字／辭典等輔助工具，或查資料，或沉浸其中慢慢思考都可以。想搞懂每一個字再繼續往下讀，基本上閱讀行為是不可能完成。無論理解與否，我們總是將所讀進去的字句進行某種「存而不論」的先行接收。腦袋則直接搜尋與書籍主題相關的論點或概念進行理解，排除與文本較不相關的字句。

三、分析閱讀

這是一種全盤性的完整閱讀，不考慮時間，重點是對於所讀的東西，提出系統性的問題，抓住一本書的內容，將之生吞活剝、消化吸收，直到最後成為自己的一部分為止。

四、主題閱讀

又稱比較閱讀。這個層次的閱讀已經不是讀一本書，而是讀一群書。這是研究所以上必須學會的閱讀，能夠找出書與書之間的關係，並歸結出相同的主題。

4. 畢業專題或論文、成果展、畢業展：專案執行力

對我來說，大學四年印象最深刻的一門課，是大四的「畢業論文」。我大學念的科系（輔大社會學系），創立數十年來，一直堅持必須修過「畢業論文」這門課才能夠畢業。

「畢業論文」這門課，實際要求每一個學生寫出一本學士論文，得符合學術規範，有明確的問題意識、研究假設、文獻回顧、研究方法、資料分析、結論成果。寫完之後，最後還得印出實體論文，舉行學士論文發表會，發表會上除了論文指導老師之外，還會邀請畢業的學長姐回來擔任口試嘉賓，完全比照正式的論文寫作與發表格式。

很多人埋怨，為何研究所、博士班充斥的年代，大學部還要堅持如此傳統？然而，實際上許多操練過論文研究與發表的畢業生，日後都表示從這門課中獲益良多。

學士論文課程，等於讓自己有機會從頭到尾完成一份專題研究報告，有機會把大一到大四學過的學系

核心課程，以實際演練的方式複習一遍。因為論文寫不出來就不能畢業，於是即便寫得再糟，至少都會符合學術論文規範走一遍過場，將整個研究流程與形式記憶住。

實際上一些程度比較好的同學，寫出來的論文不比某些科系的碩士論文差，這或許也是拜本系長年以來的分組教學傳統所賜，學生能夠長期跟隨一位老師學習，有問題就能請教並且獲得解答。

日後我發現，不少大學科系大四都有這類型的課程，本系稱為學士論文，其他科系可能稱為畢業專題製作、畢業成果展……名稱雖然各有不同，實際上做的事情都一樣，一方面透過讓學生獨力或合力完成一個專案，複習大學四年所學，更讓學生有機會自己主導與執行一個完整的專案。

近年來一些大學的設計科系的畢業專題展，從籌備、發想到執行，儼然就是一個非常專業的「產品發表會」，像是服裝設計系的畢業生，就得自行籌備一場專業的服裝發表會、走秀活動，藝術或大傳相關科系得辦一場專題展覽，音樂科系的畢業音樂發表會……等，都是按照業界的正式規格流程。學生們得進行任務編組，分工合作，分頭去籌資，拉贊助廣告，做媒體公關行銷，發想專案以及實際執行，最後還要邀請來賓來參加，甚至有的還能發新聞稿邀請媒體前來報導，活動成果一點也不輸大企業的新品發表會。

這類畢業專題製作，就是大學送給畢業生最好的職前訓練禮物。或許很多學生不懂畢業專題製作的重要性而選擇逃避或鬼混，然而，如若願意從頭到尾認真參與每一個環節，將來出社會之後，你會發現，公司籌辦產品發表或宣傳活動的流程，在大學裡已經按表操課練習過。

好好地完成畢業專題製作吧！這一次專題製作的經驗，將會建立一個人未來出社會後負責推動與執行公司專案的基礎雛型。在大學裡越能夠認真而周延的完成專案，未來出社會肯定能駕輕就熟地主持、舉辦各種專案活動。

打造職場軟實力

- **企劃力**
- **問題解決力**
- **專案執行力**

能力學習

從不同角度撰寫企劃提案，增加自己的洞察力

寫不出令人滿意的提案報告

不少上班族都有類似的經驗，長官交代下來，要為某個專案寫出一份提案報告，問題是，這份報告寫了又寫，總是被退件，真不知道怎麼辦才好？寫出一份符合邏輯理性思考，觀點與論述正確且清楚，可執行性高，又省預算的報告，卻還是過不了。究竟是為什麼，自己寫的提案報告老是過不了？

自我中心是要不得的

寫報告如果只按照自己的想法，卻沒站在公司、客戶與直屬上司的角度去想，是會被退件的。上司不會通過一份自己看不懂或不喜歡的報告。至於這看不懂是他程度太差還是你寫的太難，他不喜歡是因為不符合他的意思或者你的想法太爛，主管是不會告訴你的。

總之，報告只是透過你的腦袋來組織，透過你的手來書寫，裡面的內容，必須是其他與此報告有關的人所能看得懂且能認可的，才會被青睞。

別只寫一份

想要一次就通過提案報告的撰寫，不想老是改來改去卻改不出老闆想要的意思，最好從一開始，就別抱著只寫一份報告的心態來寫。

最好能先了解與此份報告相關之人事的態度和想法，然後從正面、反面與中立三種立場和角度，各寫一份。交報告前，一有機會就想辦法探聽、了解老闆的真正想法，再將比較貼近老闆想法的報告交出去，過關的機會比較大。

不是拍馬屁，而是體察上意

任何報告怎麼修、怎麼改，最後一定是寫到老闆心坎裡的想法才會過關。寫報告不是追求真理，就算是追求真理，也有許多不同的取徑，好像數學家解題，不會只有一種解答方法；登山家登山，不會只有一條路可攻頂。上班族寫提案報告，也不會只有一種切入角度可以寫，拋掉自己無謂的主觀或以專業為傲的堅持，那很可能是蒙蔽自己看清問題的簾幕。

提升自我掌握全局的能力

一個主題的報告多寫幾種，就算不是為了逢迎老闆的意思，讓自己得賞識，其實也是種自我磨練和學習，避免對專業的過度自信或習慣讓自己不自覺地陷入一種主觀，被主觀所侷限，只看見部分的真相。

多從幾種不同的角度來寫，就等於逼自己多從其他角度來看事情，可以開拓眼界，增加掌握全局的能力，甚至能發現自己過去未能發現的盲點。多角度全方位撰寫報告的能力將能有效提升自己的洞察力，增加主管對你的好感，提升職場競爭力。

5. 實習課：了解職業性向，預先職場社會化

不少大學的科系都設有實習課。例如：傳播學院的新聞、廣電、大傳、廣告系，便有寒暑假得到企業實習的實習課程。我大學時代的女朋友，正好是大傳系的學生，升大三暑假，他就到業界的公司當實習生，我忘了是否有車馬費或工讀金，不過，實習課程完畢後，可以拿到學分。

實習課的缺點是，付出時間，卻未必有薪資可以領。優點是，可以提早進入業界的公司，實際操作業界的設備。大學作為教育組織，因為各種原因，未必能夠擁有最先進的機械設備，不若業界。

實習課可以接觸最新的設備。例如：當年的女朋友就在實習課程時，接觸了最新的剪接軟體，比當時學校擁有的設備好很多。除此之外，實習課還可以預先了解將來自己所要進入的產業界的公司狀況、工作模式，以及產業遊戲規則，也認識同業先進。

從這些資訊的蒐集，可以判斷自己未來是否要進這一行。這年頭未必要學以致用，如果透過實習課讓自己

了解，所學主修並非自己將來想從事之工作，也是一種收穫。可以幫助自己調整剩下的大學生活的修課規劃，並且更積極的尋找自己想做的工作，避免落入出社會之後，不知道要找什麼工作的困境。

在台灣，實習課程最為體制化的當屬醫學系，大七一整年的時間要到醫院擔任實習醫生，目的在於熟悉醫院的運作，以及實際接受臨床醫學的指導，職場的工作有很大一部分需要一對一的師徒制來教授，不是學校的大課堂所能傳授的。

大學作為研究單位，教授的任務多半是做研究，提出創新觀念或針對既有知識進行統整，與業界的連結較弱，未必能提供最新的業界資訊與技能知識給學生。加上又不是每一個大學畢業生畢業後都要繼續升學或攻讀博士，適量的實習課的確有助於學生預先社會化，事先了解職場的遊戲規則。甚至，實習表現良好，公司當場就預約畢業後直接到公司報到。

並非所有科系都有實習課，如果沒有實習課，可以透過打工自行創造實習課程。

打雜，讓人學會比專業能力更重要的品格

說說我自己可以視為實習工作的打工經驗：

讀研究所那幾年，我待過兩家公司，擔任打雜小弟。一家是大企業家溫世仁先生創辦的明日工作室，研一升研二的暑假，短暫而密集地擔任了兩個多月的打雜小弟，另外一家是澳洲旅遊局，不固定的單日班，有需要人手而我剛好沒課時就去打零工。貨真價實的打雜小弟，就是要換燈管、跑腿買東西，折信封信紙，寄信收件那種打雜小弟。

曾經公司的總經理開玩笑說，一萬五請一個台大研究生來當小弟很划算，對於有機會在出社會前擔任公司最基層的打雜工作，學習與了解行政庶務的處理，我自己認為，研究所時在這兩家公司擔任打雜小弟學到的工作經驗，非常寶貴。倒不是說打雜小弟有什麼複雜或專業的工作技巧，其實絕大多數的工作，都是得耐著性子不斷重複操作的行政工作。然而，正因為如此，這些工作對我來說，才有學習價值。

一、學習以體力勞動換取收入

對於一個還沒有拿到學位的學生來說，學習以身體勞動替自己換取收入，一點都不需要覺得可恥，反而應該自豪，可以靠自己的勞力換取收入養活自己。尤其幸運的是，兩家公司支付的待遇其實都很不錯。日薪制的公司的薪資是當時打工薪資的1.5倍，月薪制公司則另外還發了一些案子給我做，上班沒事時就可以做，承受不少照顧。

二、認識與了解公司組織的運作

到公司當打雜小弟，可以掌握一家公司的日常運作模式。打雜小弟得最早到班，開門、開燈，巡視辦公室設備等工作，得留意所有公司同事的需求，學習安排工作順序，了解與適應職場環境，了解企業組織是什麼樣的一種存在，與社會人直接面對面互動相處，學習職場基本規範與禮貌。

三、學習承受各種人的眼光

打雜小弟是公司最基層的職員，身處最基層，往往能見識到各種人的嘴臉。雖然因為我至少是名校碩士班學生，人們有所顧忌不敢太過明目張膽的欺負，但還是見識到職場裡的上下之別。讓我了解身為基層人員的辛苦，爾後自己出社會工作時，更能以同理心看待可能得一直以出賣勞力換取收入的社會基層，謹記在心，不要瞧不起基層工作者。

我真的認為，無論是誰，人生當中都應該有一段時間，深入企業組織最低層，擔任打雜或行政庶務工作，越早越快越好，在基層工作的歷練，可以讓人學會比專業能力更重要的品格，後者是決定一個人最終能否成為真正傑出、且受人敬重的成功者的必要條件！

打造職場軟實力

- **了解產業動態、趨勢與行規**
- **預先社會化，職場倫理與工作態度的學習**

延伸閱讀

王文華《史丹佛的銀色子彈》——時報

6. 國際研討會、交換學生：跨文化交流、拓展國際視野

大學時代，我有一門課修了兩次，因為獲益良多，是以當老師再開課時，又再修了一次。這門課的特色是，完全沒有預定的進度與講義，授課老師只是跟學生討論學生準備的資料。至於學生準備的資料，是為了學校正式課程結束後，得利用寒暑假時間出國，與其他亞洲的大學生進行國際交流時所需的一切準備工作，這是一門完全由學生主導，老師只是從旁輔助的課程。

長年開設國際學生交流研討會課程的羅四維神父認為，教育不是去教學生什麼知識，而是引導學生，學習如何學習，如何解決問題！這門課的壓力說大不大，但是很多人都願意主動利用週末或課餘閒暇時間，準備這門課所需的資料，完全不以為苦。而且修習這門課的同學，很多日後都成了好朋友，且在公餘之暇無償投入公益事業。

這門課，影響很多人往後的人生。有一位大我四屆的學長，同時是知名網路行銷公司讚點子的負責人權自強先生，在校時也修過羅神父的課，當年他去的是柬埔

寨，日後他對柬埔寨一直念念不忘，公餘之暇投入很多私人時間和金錢在柬埔寨的社會公益上。

我自己也是，兩次課程，一次去越南，一次去菲律賓，兩次大學時代的出國參訪與交流經驗，對於我日後的影響非常大。讓我對台灣與東南亞國家間的互動關係，有更深且非從台灣單方面的角度切入的理解，在菲律賓與越南更看見了貧窮所造成的許多不好的影響，讓我對關懷社會弱勢之心更加堅定，也影響了我日後的工作選擇。

最近幾年，隨著全球一體化的發展，出國旅遊不再是困難的事情，許多大學生的畢業旅行都選擇出國旅遊。我是極力贊成大學時代一定要出國去看看的，無論像我這樣參加短期交流活動，或者參加學校的交換學生計畫，甚至利用寒暑假出國去進行貧窮旅行、遊學或海外打工都好，對自己的國際視野的開拓與往後人生規劃的影響，真的很大。

我有個朋友，從小到大都是名校菁英，大學畢業後，花了一個月時間前往印度自助旅行，在印度體會了學校課程沒有教的人生智慧，他後來坦言，對他找工作產生非常大的影響，原本他只想找份高薪的白領工作，後來他覺得工作應該要與社會有所連結，不該只是賺錢而已。果然後來找了起薪不是太高但真的蠻有意義的工作，只是，很努力的他最後還是一路往上爬，如今也是高階經理人了！

安藤忠雄二十歲的時候買了一張船票，跨海到歐洲去看了一個月的歐陸建築，忍受著肉體的貧窮飢餓，精神卻大受啟發，回國後立志要當個建築設計師，雖然他只是高中畢業且還是個職業拳擊手！

常常我們很怕繞遠路，總想走最快抵達我們設定的目標，結果卻錯過了沿途許多美好的風景。如果還是非得走最近的路不可，我會建議，至少大學時代一定透過各種機會，出國去走走看看。

大前研一說，海外旅行帶給人民新的想法、靈感，更可以幫助我們以更客觀的角度檢視自己的國家。造訪現場，能夠取得造訪現場才有的資訊和靈感，能夠破除只從自己生活經驗出發，思考看待世界的主觀、偏見態度。

記得從小到今，出國超過十餘次，除了國中畢業那次是和祖母一起跟團到日本之外，其他的出國經驗不是自助旅行就是學術交流，去的也都是鄰近的亞洲國家，主要目的在看這些和我們鄰近的社會世界，和我們的異同，希望透過旅行開展自己的視野，從跨文化的比較中看見自己的不足與需要改進之處。

還記得升大三那年暑假，我去馬尼拉參加短期的國際學生研討會，在都市一日遊的行程中，我看見馬尼拉社會的兩個極端：富裕者只是學生就能開名車上大學；貧窮者卻低賤卑劣到得靠著雨後路上積水替自己手中的嬰孩梳洗。那樣貧富差距的實際體驗，讓初通社會學知識的我感到非常錯愕，卻也更加堅定了我要深入探索社會不公義之結構，盡己所能地將之呈現的想法。

大學另外還有一次出國經驗，是大二寒假去越南短期學術交流，到了越南彷彿看見二十年前的台灣，當時的越南還是個國民所得僅20美金的國家，平民百姓吃一頓飯僅花費5元新台幣左右，一般人把可樂、汽水當奢華飲料，看到我們吃飯買汽水喝，感到既羨慕又詫異，那種從貧窮偷窺看見富裕的複雜表情，至今我還記得，路上滿是靠勞力賺錢的三輪車伕，得賣掉家中藏金，才能買輛速可達摩托車……。

在越南，讓我看見了亞洲經濟奇蹟還未發生時的過去，越南也和台灣一樣，被迫拋棄、割捨許多東西，我在心中描繪出了自己的父執輩，是如何從無到有的打拚出台灣經濟奇蹟。

每次出國，讓我看見在自己的生活與社會裡看不見的東西，讓我收穫良多。我總認為，趁著年輕，應該多出國走走，而且不是去玩那種完全放鬆的度假旅遊，也不是去那種只能崇拜乾瞪眼流口水的觀光勝地，我很看不慣台灣現代的富裕少年，拿著父母的錢去美加峇里島、泰國玩那種純度假行程，有什麼人生壓力嗎？這麼年輕就去玩度假行程？

做父母的與其砸大錢讓孩子出國遊學，還不如讓孩子早點當個背包客，學習克難旅遊。

再不然，出國當志工或打工旅遊，也都不錯。志工或打工旅遊，光是學習語言，就遠比去遊學結果都和自己國家去的學生混在一起高。除此之外，克難的獨立生活能培養孩子獨立自主的安排生活與解決問題的能力，更能能體驗賺錢的辛苦，了解父母的辛勞；深入異文化與市井生活中，看見其他文化、國家、人民的生活方式與價值觀；看見真正需要幫助的人，樂於和人分享自己所有，這樣的良性文化衝擊，勢必對孩子的成長影響很大。

不要擔心那百萬分之一的意外，如果一點意外都無法承擔，非得要「惜命命」，這樣的孩子就算每天都待在家裡安穩的長大，將來也是「撿角」的成分居多。

我認為年輕人，出國不應該只想著享樂，反而應該多多去找一些能夠深入、體會另外一個國家的日常生活的「住遊」或參與「打工旅遊」、「克難背包客」、「海外志工旅遊」行程，在異文化世界裡，住上幾天到幾個月，逛他們的傳統市場、超級市場、百貨公司、書店，搭他們的公車、計程車、捷運或在地最常搭乘的公共運輸系統（例如：越南的摩托公車／三輪車），用自己的五感去體驗，去品嚐，去學習。然後，試著把這些體驗化為自己的生命經驗，運用在我日後的生活與工作之中。

連加恩的西非行，彭書睿在忠僕號五年的志工生涯，都對他們往後的人生規劃和觀看世界的態度產生極大的影響。光是那份歷練所透露的成熟穩重落落大方，那種能夠苦人所苦的同理心，願意傾其所有幫助人的慈悲心，這些是拿再多財富或學校成績或者工作成就都換不到的寶貴經驗。

放手讓自己去體驗世界，體驗最貼近社會底層生活的，體驗「非我」人生實在是我們的下一代最欠缺也最需要學習的功課。體驗過那些不屬於自己的人生，才能真正懂得珍惜、感恩，才會知道幸福不是理所當然，也不該只據為己有，懂得與人分享，成為對社會有幫助的棟樑，而非廢柴米蟲。

打造職場**軟實力**

- **文化智商**
- **全球化**

延伸閱讀

《CQ文化智商：全球化的人生、跨文化的職場——在地球村生活與工作的關鍵能力》——經濟新潮社

《愛呆西非連加恩》——圓神

7. 學好外語，與世界接軌

在全球化方興未艾的時代，學一到兩門外語以便工作、旅遊、溝通，似乎是不得不然的事情。

學外語最快最有成效的方法；把自己丟到該語言的生活環境裡，逼自己接觸。三個月半年之後，口語會話均駕輕就熟，應用無礙。

若沒有這等「幸運」，可以在當地學習外語時，要怎麼樣才能夠學好外語？

作家豐子愷認為，可以從三個部分來看：

一、單字、片語

語言都是由符號所組成，符號多者如漢文方塊字，有數萬個；符號少則如英文，僅26個字母變化拼湊出數十萬單字、片語。這些單字、片語便是構成語言的基本元素。因此，想要能夠通曉外語，第一步便是熟記單字、片語。當我們腦中所記憶的單字、片語越多，碰到外文時能夠順利辨識的機會越大，便能夠順利學習。

該如何累積外語、單字片語能力？死背的基本功夫是不可少的。死背並非指拿著字辭典從A背到Z（雖然也未嘗不可），而是指規律的循序漸進，由易到難，由實用到冷僻，讓自己養成每天記憶三到五個不等的單字、片語的習慣。

身邊可以攜帶自製的單字片語卡，有事沒事就拿出來背（或可利用通勤搭車、如廁解放等零碎時間）。背完了一天的進度後，便在生活中尋找有否能夠運用這些新學到的單字片語的機會，如果有機會派上用場，相信對於記憶一定大有幫助。每天背三五個單字片語，三年下來所累積的實力對於外語閱讀肯定助益甚大。

二、文法

許多人學外語文法時都是找教科書來苦背。然而，文法與單字、片語不同，單字、片語是學外語的基礎，要累積出一定的基礎，非背不可。文法卻不是靠死背能夠熟練的。文法只能幫助一個人記憶基本的規則，外文要學得好，必須想辦法掌握該語言內在深處的氣韻、意境。這便不是文法書能夠教的，想熟悉文法最好的方法是多讀、對讀、細讀。

多讀指的是，有機會便直接閱讀外文。多讀可以克服對於學習外文時的陌生感，幫助自己熟悉該國語言，在碰到文章時不會有莫名的抗拒感。

對讀則是指找本好書，找出中外文版本，兩相對照的閱讀。對讀有助於掌握文章的言外之意以及文法組成背後的細膩之處。如果只是教科書學習法，學出來的外文將硬梆梆又乾癟無生氣。

細讀則是扣連著對讀而來，透過細讀，可以辨明語言與語言之間的不可傳譯性的神妙之處，久而久之，能夠心領神會外語中獨有而中文所無（或者相反）的語言特殊性，進而培養出以外語組構的獨特邏輯來思考時，才可以算是熟悉了外文。

三、會話

本文一開始提到的丟到外國環境乃是學好外文的最佳管道，指的就是能夠快速的學會一個外語的會話。

若是沒能夠出國直接接觸，外語電台、電視與電影是不錯的學習管道。如果想學得盡可能標準的外語腔調，可以選擇從新聞的氣象報告聽起。閱聽外語氣象報告就好像找書對讀一樣，因為其中的氣象內容我們已經非常熟悉，只是無法順利翻譯成外語。

利用氣象報告來熟練對於聆聽外語的聽力，接著再往廣播、電影與電視影集、外語音樂等面向擴大，逐漸加大聆聽外語的機會和頻率，再配合上述對於單字和文法的學習，同步擴大外語知識庫，相信假以時日，外語能力便能突飛猛進。

當驗收的時機來到時，不要吝於開口。當你看到一個老外拙口笨舌，講著破爛中文時，你反而會更加注意去聽，並且幫助對方講出正確的語彙吧？同樣的，外國人也是如此。

學好一個語言，除了上述基本功外，最重要的還是要不怕丟臉、敢犯錯。因此抓到機會就多開口，讓自己盡可能的掌握外語的神髓，最後能夠以外語組構邏輯思考時，你的外語學習可以說有了初步的成果。

即便我們每天都在使用中文，我們也不敢說自己精通中文吧！粗略了解或許可能，但要精通沒有十年二十年是不可能的事情。語言學習是無窮盡的過程，沒有人敢說自己對某一門語言已經精通。不要害怕初學外語的挫折和失敗，也不用為了某段學習歷程的困頓不前而難過失望，語言是越用越精，越挫越勇的。

打造職場**軟實力**

◆ **外語力**

延伸閱讀

大前研一《即戰力：如何成為世界通用的人才》——天下雜誌

能力學習

記住：英文好，中文也要好，職場更順利

台灣是個很奇妙的地方，明明有90%以上的人，天天以中文做為社會互動與溝通的語言，然而，我們的媒體、教育機構、職場、出版品，卻鮮少告訴我們，該如何學好中文？我們誤以為，生活在中文環境裡，從小到大每天使用的中文，怎麼可能不好？怎麼可能還要學？

實際情況是，台灣人能夠學中文的機會，就只有在學校的那幾年，畢了業、出了學校，到處都是學外文的補習班與教材。不信的話，看看坊間出版的語言叢書、語言補習班開的課程，九成都是如何學好英文。多數台灣人的中文並不好，基本的聽說讀寫，都能流暢者不多。不信的話，看看媒體上公司發言人的公開發言，摻雜了多少英文文法／單字、贅字、語氣詞等等語言垃圾。

至於英文，相信不少人認為，那可是國際化的語言，是全球化的語言平台，想要在全球競爭中脫穎而出，英語是不可或缺的重要利器。所以，整個社會將語言學習的重心放在英語。職場也是如此，商管書與商業界成功人士不斷告訴我們，英文很重要。公司聘用員工時，英文好的也會被優先錄取，中文好卻不被視為一種能力。

英文（語言）的重要性在識世

英語的確很重要，擁有好的英語能力，的確能替上班族加分不少，例如接待外國客人、外派出差，都需用到英語，是種能重要的即戰力。

然而，光是英語好，不代表就能做好工作。英文能力對於上班族／工作的重要性，是附加性。一個人必須先擁有邏輯思考力、解決問題能力，知道如何觀察、思考、解決工作問題，英文能力才對工作有加分作用。光是英文好卻不懂思考，不會做人，不知道如何解決問題，於工作可說毫無幫助。

學好英文真正的意思並非「識字」——指懂得該語言的聽說讀寫。學好英文應該是「識世」——透過該語言的掌握，進而理解該語言系統中的思維邏輯與人情義理的運作。學習英文的重要性，首先在於懂得英語文化圈的思維與做事方式，懂得如何和其交談、溝通、做生意。光是英文好，但卻滿腦子中文思維，雖然能用英文和人說話，但卻無法有效溝通。

即便是以英文作為中介平台，和另外一個母語非英文的人溝通，也是一樣的。當兩個非英語世界的人借用英文當平台來溝通、交易時，同時也借用了英文文化圈的思維與溝通模式，好在雙方之間取得某種最大公約數，好讓溝通能夠順利進行。

英語重要，中文更重要

除非一個人在外商或跨國公司工作經常要接觸國際事務，否則，用到英文的機會是很少的，至少在台灣，職場上八成以上的上班族，根本不需要英文，反而成天都需要用中文。試想，一個在台灣賣汽車、房子、保險的業務員，用到英文的機會有多大？

台灣的職場不斷強調英語的重要性，鼓勵員工進修英文，卻很少人想過中文的重要性，更不曾積極要求員工提升中文程度。其實，不懂中文，可以說就是不懂中文文化圈的做人處世潛規則，談生意自然也困難。如果要我說，我認為臺灣職場上九成九的員工都應該重修中文，特別是靠說話吃飯的業務員，把中文練好，用字遣詞要能表現專業、穩重，不要油腔滑調，讓人討厭。

以一般上班族日常工作使用語言的狀況來說，先學好中文，再來學好英文。不懂中文，公務書信往有障礙，無法用精準而得體的語言和客戶溝通，更別說寫信／卡片給客戶，企劃案、專案報告與工作日誌的撰寫也成問題。英文不好，頂多是做不成外國人生意，中文不好，可是會連工作都做不下去。

丟掉英語迷思，認清自己工作所需使用的主次要語言順序／佔比，妥當的分配學習該語言的時間，才能讓語言真正成為你工作的好幫手。

PART 2

大學作業，就是職場工作的**企劃案**

寫報告可以鍛鍊你的觀察問題的能力、蒐集資料能力、寫作能力、論述表達能力、邏輯思考能力、批判反省能力，與不同意見者對話的能力，這些能力將是你職場工作的企劃力。

1. 學期報告撰寫：沒有唯一標準答案的世界

寫報告，大概是所有大學生的夢魘。不但如此，這幾年好像也變成許多大學教授的惡夢，越來越多學生上網抓資料、照抄。

不少人以為學生素質差又懶惰，然而，我以為關鍵問題所在，是不知道報告該怎麼寫的同學越來越多。

大一時，系上某個老師因為學生都不懂報告該怎麼寫，經常在課堂上動怒。當年我們不懂，於是師生關係很不愉快。其實，真的不是學生的錯，我們的教育體制，從來沒有教過大學生如何寫大學的報告！

上大學之前，學校沒有教。實在不能期盼這些考上大學的大學生，突然頓悟。

除了抱怨學生程度差之外，是否想過，花點時間教同學們寫報告的方法？歐美的大學都有大量的寫作課供大學生選修，目的就是傳授寫作報告以及未來出社會工作所需的寫作能力（台灣的大學們應該認真考慮引進寫作課程）。

大學的報告，說穿了，就是小論文，也就是以前作文課講到的論說文，其實一點都不難寫，只要懂得方法與格式。

寫報告的第一步，要找題目（問題意識），想一想自己想要談什麼問題？

找到問題之後，第二步，到圖書館或上網找資料，報章雜誌期刊論文中有提到的資料都可以，但只選取與你的題目有關的部分。

不知道該如何判斷是否與你的題目有關？那就比較資料中出現的關鍵字，是否也有出現在你的教科書指定閱讀章節裡？

找到資料後，第三步，開始羅列「論點」，將論點分為正方與反方兩大陣營，從中找出一個你覺得最能夠接受且願意當作報告主軸的論點。

第四步則是實際開始寫報告：寫作報告，就像寫作一篇論說文。

破題的首段，先交代你之所以挑選某個主題當作報告內容的原因，通常與你個人切身經驗或興趣有關，或是當時社會正在關心的議題，簡單交代之後，帶出你想談的主要問題，劃定接下來報告要討論的範圍。

第二段，布局介紹反方論點，也就是你接下來在第三段的部分，你會駁斥的論點。

第三段，提出你的主要主張與論點，並且逐一駁斥第二段所介紹的反面論點。

第四段，結論，總結整份報告的現象觀察、論證與結論。

最後別忘了羅列出參考資料，整理成如下表格：

寫報告的步驟

公式	內容	重點	篇幅占比
起（破題）	說明事件梗概，劃定討論範圍與目的	帶出問題意識	15~20%
承	欲反駁之論點的整理、介紹	反論、他人論點	25~35%
轉	反駁（承題）論點之論點的說明	正論、作者論點（論證、例證）	35~45%
合	結論，重申問題與正論的關係	重申正論	10~15%

只要按照論說文格式來撰寫報告，你會發現，自己動手整理資料並組織文字，比上網照抄別人的文章來得省事、簡單且有成就感。

寫報告可以鍛鍊你的觀察問題的能力、蒐集資料能力、寫作能力、論述表達能力、邏輯思考能力、批判反省能力，與不同意見者對話的能力，這些能力將來你出社會全都用得到，小至日常生活的工作日誌、會議紀錄報告，大到專案執行企劃書與結案報告，都會用得到。

立即的好處是，考研究所也用得到，特別是報考的研究所需要撰寫申論題型的試題，上述所提及的就是答題技巧。

學期報告，說穿了就是寫申論題，跟部分科目老師讓同學Open Book考試的道理是一樣的，老師之所以敢讓同學找參考資料來寫考卷，正是因為大學裡的申論題考試並沒有完全正確的標準答案，老師在閱卷時的評分標準看的是學生論證論點的邏輯推理能力、演算能力是否熟練，學科理論知識與方法的熟練度。如果不熟練，就算讓同學抄書，學生都不知從何抄起。

報告撰寫還能培養同學的排版與版面編輯能力。封面的格式、目錄的羅列，報告的起承轉合，參考書目的資訊等等，以及整份報告的版面呈現方式，若要放照片與圖說，就更複雜了。出社會後寫的每一份報告，主管、公司都對其格式與美學有著某種程度的要求，不是內容好就可以了，還要一目了然、清楚易懂。寫報告，那可是鍛鍊日後進入職場所有文書作業能力的根本。

主題式閱讀——寫報告、作研究的閱讀方法

所謂的主題式閱讀，就是讀者根據需要，針對一個特定主題，閱讀兩本以上性質相關聯的書。目的不在於通讀各書，而是藉由各書中與主題相關的章節之閱讀整理，找出和自己研究主題相關的資料。研究生寫論文，大學生寫報告的成敗關鍵之一，就在於是否精通主題式閱讀。

要精通主題式閱讀，必須熟悉檢視閱讀和分析閱讀，以這兩種閱讀技巧作為主題閱讀前的準備功夫。舉例來說，當你決定好要撰寫一個關於「家庭」研究報告時，所能夠收集到的和「家庭」相關的書籍報刊雜誌期刊論文，浩瀚如晨星。

首先，我們必須透過篩選，將主題雖然是家庭，但明顯與自己研究不相干的文獻刪除。關於家庭的研究方向眾多，必須先確定自己想研究的對象、範圍以及核心問題，從這三點出發，進行書單篩選。

如何刪除大量不相干文獻？

先從書名、作者、內容、簡介、關鍵字、目錄等資訊著手。另一方面，在著手刪除無用書單的同時，也進一步釐清自己研究報告的主題。等到確定找出第一批可用之書後，便可以停止篩選工作。緊接著的第一批書單閱讀，書中與自己研究相關的問題、論點，都將會再引導讀者找出下一批書單。再不然，書內的參考文獻，也可以引導讀者連結到下一批書單。

大抵說來，只要能夠找到和你研究主題相關的重量級書單，便可以透過對這本書的詳細閱讀，分析出該研究主題歷來的重要問題、研究取徑及相關研究或書單。這就是文獻回顧。網路搜尋引擎發達，只要我們將找到的第一本書中整理出來的重要概念或者學派研究人員的資料上網Google一下，便可以得出許多新資訊。

主題閱讀有如下步驟：

一、透過網路、圖書館、書店等方法，找到與閱讀主題相關的第一批書。

二、針對第一批書，進行與主題相關的章節之閱讀。記得，主題閱讀的重點放在主題，而非各書。每本書都有自己獨特的主題，我們必須從這些獨特之書中，找出與我們閱讀主題相關的章節來閱讀，不要迷失在浩瀚的書海。

三、和作者對話協商，直到找出書籍和你的閱讀主題間的共識。引導各書章節中與你的閱讀主題相關的論點，融會貫通成你所需要而又不違背書籍原意的觀點。

四、建立自己的主題閱讀詞彙庫，透過這個詞彙庫，我們可以有效的將各書中的觀點改寫或整理成符合我們主題閱讀需要的文字或說法。

五、釐清閱讀主題，在對第一批書進行詳細的閱讀，並整理與對話後，重新以這些論點，檢視自己的閱讀主題，並且將主題確定下來，進而也將閱讀範圍確定下來。未來不屬於這個主題閱讀範圍之圖書，將一概捨棄。

文獻回顧的成敗在於，問題取向的主題閱讀做的是否紮實。重點應該環繞在所要研究的問題上，而非堆砌出該研究領域過去曾經有過多少偉大研究成果。以你的研究議題出發，不要讓任何討論跳出這個議題，才是好的文獻回顧。

附帶一提，這套主題閱讀方法也可以用來篩選網路搜尋引擎所找出的龐大資料，非常實用。

寫作力，決定你的職場競爭力

白領上班族工作中，很大一部分的時間得用在「文書作業」上，如撰寫企劃提案、會議紀錄、會議簡報、工作報告等等。「寫作力」，對於白領上班族的工作效率之提升，乃至職場競爭力的強化，產生無形卻關鍵的影響力。

提升寫作力的基本鍛鍊：

一、寫作肌耐力：寫作力最基本的技能，在「打字」與「文書作業系統」的熟練度。打字速度越快，文書作業系統越熟練的人，越能縮短工作報告的撰寫時間。BBS、臉書、網路聊天室等社群網站可以練打字速度，「文書作業系統」的熟練度可能得上補習班或找書來練。

二、筆記力：隨時隨地寫筆記，看到有趣的人事物或書籍雜誌文章的重點，就摘錄在自己的筆記裡。寫筆記，除了不讓好點子轉瞬即忘，也是鍛鍊提綱挈領能力，讓自己能夠在短時間內消化大量資訊並以自己的話說出來，是鍛鍊寫作能力不可缺的一項特質。

三、閱讀力：強大的閱讀力是寫作力的基礎，閱讀累積下來的資訊與知識，將成為寫作時的養份。當別人不知道工作報告該怎麼寫，你卻能侃侃而談，行雲流水，靠的就是廣泛閱讀。不過「寫讀書心得與評論筆記」的工夫得下得夠深。花時間讀書之餘，還要能把所讀之書的重點摘寫成方便參考的筆記。

四、邏輯力：邏輯思辨能力，也是職場寫作力的重要關鍵。與文學寫作偏重修辭語法的經營不同，辦公室的文書寫作更強調的是邏輯是否嚴謹清楚。為什麼有些工作報告花了老半天時間寫，主管卻瞄一眼就退件，不是老闆找碴，而是報告根本不合格式體例規範，以及更重要的一點——毫無邏輯。

寫作力的提升，是提升辦公效率與職場競爭力的重點。沒有寫作力，就沒有職場競爭力，切莫輕忽怠慢，否則倒楣的就是自己！

打造職場軟實力

◆ **寫作力**

- **文書作業技巧**
- **排版與版面編輯**

延伸閱讀

艾德勒&范多倫《如何閱讀一本書》——商務印書館

瀧本哲史《決斷思考就是你的武器》——天下文化

能力學習

書評簡介、讀書心得報告的寫作方法：

現而今有不少老師會要求學生寫讀書心得報告，附上讀書心得報告寫作格式與小技巧。

一、起

1. 目的：破題
2. 內容：從日常生活中人們所熟悉的事件或議題的描寫，帶出所要介紹之書籍的主題、核心問題意識。
3. 字數：以八百字為一篇文章來說，佔100~150字（若文章增加，則按比例擴大）。

二、承

1. 目的：簡介書籍
2. 內容：針對書籍的作者、內容進行簡單扼要的介紹，可挑一段足以當作重點內容的文字敘述，作為引文與書寫的核心。若能稍為談一點和書的誕生有關的八卦，更好。小說介紹的部分，須避開破哏，洩漏書裡面的重要情節或祕密（如推理小說就不要說破犯人是誰，殺人手法等謎底），非小說類則可以談一談書籍的核心論點，幫助人們快速地掌握全書的精華。
3. 字數：以八百字為一篇文章來說，佔250~300字（按比例擴大）。

三、轉

1. 目的：評論
2. 內容：針對書籍內容、寫作手法，做出回應與評價，可再細分為正反兩面的評價，先說正面，再說反面，可引入其他作家或作品的論點做為回應，最後以補強的建議做結尾。如果不想批評亦無妨，但切忌浮誇的吹捧或以妒恨的情緒批評。
3. 字數：以八百字為一篇文章來說，佔250~300字（按比例擴大）。

四、合

1. 目的：個人感想、日常生活的應用
2. 內容：全書閱讀完畢之後的心情、收穫或體會的描寫，挑出書中一兩句讓你最有感覺的文字，先引用再以此延伸，對自己在閱讀前後的影響和改變是什麼？
3. 字數：以八百字為一篇文章來說，佔100~150字（按比例擴大）。

不只讀書心得報告，其他像電視、電影、戲劇、餐廳、旅遊等各種介紹……都可套用此公式。

2. 分組作業：團隊合作，專業分工比個人績效更重要

一個人走比較快，一群人走比較遠——非洲諺語

「唉，好討厭！這門課的老師又要求分組作業。明明一個人做比較有效率，一群人總是拖拖拉拉，一起做非常浪費時間，還有一些人老是耍賴、擺爛，什麼都不做，真不知道老師為何老是要分組作業？」

包括我自己在內，求學時代也很受不了分組作業，搞不懂老師為什麼一定要讓一群同學一起寫一份報告，明明自己一個人做比較快?!

出社會之後，才深深了解「分組作業」的真正價值，「分組作業」根本就是職場預先社會化。

在職場，除非你不想升遷或負責公司重要任務，甘於永遠領22K，否則的話，一定要懂得「分組作業」的運作模式。

我出社會後的第一份工作，在國內大型零售通路的總公司擔任採購專員。平日裡的工作有相當一部分是自己獨力完成沒錯，卻還有不少工作內容，需跨部門合作完成。

例如：展店。當零售通路籌備一家新的門市時，需要有一個來自各部門成員組合而成的展店小組，負責評估商圈人流、對外招商，與既有供應商洽談合作條件，找尋店鋪洽談租金……工作十分繁瑣不說，且涉及非常多不同領域的專業，根本無法由單獨一個人獨自完成，一定得團隊合作，專業分工，彼此支援。

團隊合作，或許比一個人做來得沒效率，卻是複雜工作的完成的必要存在。在學校的「分組作業」，就是小規模團隊合作的學習。「分組作業」之所以會不愉快、覺得沒效率，是因為假設了「齊頭式平等」，希望每個人分配到的工作份量都差不多，甚至把每一件工作都分成好幾等分讓每一個人分別去承擔，這就誤解了「分組作業」的功能與目的。

「分組作業」的目的是善用團隊成員各自的專長，有的人擅長閱讀與整理資料，有的人擅長簡報，有的人負責跟監進度與掌握狀況，有的負責行政庶務支援……

好的「分組作業」不是計較誰做得多誰做得少，而是讓每個人去做他最擅長的事情，分工合作，把工作順利的完成，如何調和彼此對工作分量的滿意度，則是領導統御「分組作業」者的責任。

「分組作業」也是規劃力的學習，拿到一件工作之後，如何分配人力與執行，進度的掌握，意外狀況的解決……需要事先的規劃與準備。

在「分組作業」中，可以學習到進入職場工作之後最需要使用到的「任務團隊」編組功能。今天的企業規模越來越大，在組織中工作的人除了自己原本的工作項目外也往往需要和其他部門的同仁組織成跨部門小組，共同為專案工作打拚。

在學校就能搞懂「分組作業」，能夠和團隊中的其他同學搭配無間，非但不吵架甚至還能成為好朋友，出社會工作也一定沒問題，能夠和來自各部門擁有不同專業與工作習性的專家合作良好！

沒有清楚分工，團隊不一定能合作

每次一起開會的人越多，會議上越不容易達成結論，且開會的時間一定比人少的時候長。對於「明明有這麼多人參與」卻遲遲未能得到好的結論或建議感到不可思議！一點都不奇怪。因為在團體／組織裡，總會有人想「白搭便車」，當一個團體、組織的成員越多，而且權責區分不清楚時，混在其中「白搭便車」而不被發現的機率越高。

一個團體中的人手越多，代表每個人擁有的權力越小，該承擔的責任也越小。

當一個人待在團體裡可以享受好處，卻不用承擔責任的機會越高，自然越不可能努力，偷懶便成了必然的習性。

廢除團隊合作就行了嗎？問題是，有些複雜的工作就需要組織團隊來運作。想要改善群體怠惰，有人躲在群體中偷懶、白搭便車，最好的方法，就是讓每一個團隊中的成員了解自己的角色和責任，不給任何人摸魚、打混的空間。

誰擔任領頭羊，誰擔任決策者，誰負責聯絡，誰負責執行，誰負責後勤補給……全都清清楚楚、明明白白，就能讓團體中的成員各盡其責，群策群力，而不致於產生集體偷懶，三個和尚沒水喝的窘境。

回過頭來說開會，想讓人多的會議能夠迅速確實地完成，並且做出結論，必須在會議中安排一個能夠強力主導會議流程進行的司儀，並且在會議召開之前清楚地告訴每一個與會者在會議中的工作，且要求在來到會議之前就完成分內之工作，會議時間只提供報告成果、搜集各方資訊、表決或做出決策，就能有效避免冗長而無效率的馬拉松式會議。

打造職場**軟實力**

- **團隊合作／分工合作**
- **規劃力**

延伸閱讀

齋藤孝《規劃力》——如何出版社

3. 課堂口頭報告與公開演說

最近一兩年，我自己與講話相關的工作越來越多。演講、授課、錄音、顧問諮詢，還蠻常需要對公眾說話，意外的是，並不太怯場，還算能夠侃侃而談。

當然我也花了一些時間學習演講與簡報技巧，不過，如今仔細想想，過往的一些工作經歷也有不少幫助。

大四時，修了一門「大一社會學督導」的課，每周都要跟一群大一新生講解社會學，是我第一次面對群體公開講課的經驗。大四畢業論文發表會，有了第一次公開簡報與演講的經驗。

研究所時代，擔任大學部社會學理論實習課的助理。每周兩次，帶大三修習社會學理論的學生，研讀社會學原典，並針對內容進行討論。後來又擔任當時台大政治系教授洪永泰老師的統計助教，每周的實習課要向一百多名修習統計的大學部學生講解電腦統計作業方法（天知道我當年是怎麼活過來的？）。

另外，還在國中短代過兩周的公民課，更是大量密集的練習了演說與授課技巧。還有從大學到研究所畢業期間，數不清的課堂公開報告，也都是簡報與公開演講的經驗累積。

大學與研究所時代的一些課程訓練，其實已經涵蓋了出社會後所需的公開演講、簡報的基礎訓練，只是多數時候我們太過輕忽這些課程中對於課本內容以外的學習和訓練，更看不見這些練習與出社會後的工作之間的關聯性。大學是一個提供學生練習公開演講、簡報，與不同意見者溝通交流的最佳場所，在大學中我們會遇到擁有學識但卻與我們持不同觀點的人，如何理性溝通並且說服對方，是大學非正式課程中非常重要的一環，這些經驗對於未來出社會的幫助也很大。

凡走過必留下痕跡，學生時代做過的報告與講演，雖然當時未必懂其意義與價值，日後也都將成為工作的養分（我根本不會知道，日後我的工作中有相當大的比重得對人或公開或私下演說）。

我臉書上的一個朋友Lily曾說：

妳的人生永遠不會辜負妳的。

那些轉錯的彎，那些走錯的路，

那些流下的眼淚，那些滴下的汗水，那些留下的傷痕，

全都讓妳成為獨一無二的自己。

更重要的是做好當下你正在做的事情，無論你是否喜歡，是否覺得這個跟以後的工作和人生是否相關，認真全力以赴就對了！好比說當年如果我花更多心思準備講演與簡報技巧，也許如今的演說能力會更好也說不一定。

為了做自己喜歡的工作，必然得兼著做一些討厭，不擅長或不知道其價值所在的事情，也請加油忍耐、堅持，並找尋方法熟練之，你這些在工作中習得的技巧，有一天都將成為你不可或缺的高級戰力。

演講、簡報小祕訣

平時準備：

1. 累積有用的小故事
2. 遇到倒楣事也記錄下來，失敗經驗容易引起共鳴
3. 思考、寫下挑戰人心的既定常識、見解

上台準備：

1. 準備好許多五分鐘小故事
2. 小故事也要安排起承轉合
3. 把六十分鐘演講切割成12個5分鐘的演講
4. 舉例很重要，能吸引觀眾
5. 演講重點小抄（要說的主題／大綱／重點內容與舉例的提醒）

台上如何表現：

1. 開場前三分鐘決定勝負，先說演講的主題（結論）讓聽眾安心
2. 運用誇張技巧讓敘事生動
3. 利用提問吸引聽眾
4. 雙關語很有效
5. 借用名人的話替自己表達
6. 尋找會場中的猛點頭先生，與之互動；必要時請干擾者離場
7. 自嘲、吐槽而非責罵
8. 創造演講的節奏感
9. 漂亮的收尾決定演講勝敗

演講5S

Story——故事性（生動）
Simple——簡單（化繁為簡，一言以蔽之）
Special——特別（只在這裡說的祕訣）
Speed——速度（放慢再放慢）
Smile——微笑（自己要笑更要讓聽眾笑）

打造職場軟實力

- **簡報力、演講力**
- **應用軟體：PowerPoint**

延伸閱讀

大谷由里子《拿起麥克風就能說》——究竟

能力學習

好簡報讓你上天堂——做好工作簡報的祕訣

好的簡報讓你（和你的主管、團隊）上天堂，破簡報讓你下地獄。

簡報能力，在職場上是不可或缺的。記得還在連鎖通路擔任採購工作時，每個月都要接待不少廠商，前來提案，進行當月新產品說明。根據我自己的工作經驗，上市後能夠熱賣的商品，九成都是在新品簡報時，能讓採購感動，相信其一定能賣，進而願意下大單，甚至給予店頭位置，張貼海報或舉辦活動，促銷新品。

簡報的三種類型——行銷企劃，業務人員，製作人員

行銷企劃：客觀數據、市場分析

行銷企劃喜歡從分析市場切入，告訴採購一堆市場數據，或者自家公司將會在新品周期進行什麼樣的促銷活動，預期可以收到什麼成效。再有一種，則是誇大過去同類型商品的銷售成績，增加採購信心。

業務人員：和你搏感情

業務人員喜歡和採購搏感情，說明會上通常是東家長西家短的閑聊一些同業八卦，最後再將重點新品集中推薦。業務人員的簡報會議上，產品不是主軸，拉近採購和業務人員的關係，讓採購信任這個人，以致於信任其所推薦的產品，才是會報主軸。

製作人員：產品特性、使用效果

至於製作人員的報告，則多半偏重在產品本身的內容、特性，消費者的使用效果，其他試用者的口碑經驗等等。另外，提及一些產品製作過程中的有趣小故事。通常這些與產品有關的小八卦、意外事故，更能抓住採購的心，使其和產品建立一種連帶感，願意推薦給自家通路的消費者。

好簡報——簡要的掌握重點、說一口好故事、夠真誠且感人

但無論哪一種，執行良好的人，不一定口齒伶俐，但絕對誠懇，讓你相信他說的都是真誠可信的。報告不一定冗長，但永遠精準掌握重點，不偏離主題。報告不一定要花俏，搞了一堆複雜的圖表、動畫，不一定需要大量的數據分析與調查報告（但最好也不要都沒有，適可而止），但一定是一個能夠感動人心的精采故事，讓人動容，願意相信，產生共鳴。

簡報的目的——引發共鳴，建立聯結，取得認同，達成目的

其實，無論什麼工作簡報，目的都是一樣的。那就是順利的讓你的簡報對象，如業主，採購，老闆……等，對你所簡報的產品、觀點產生共鳴，願意認同且建立聯結，化為自己世界裡的一部分，認為是一件於自己有意義／利潤／效益的東西，進而採用。

4. 考試：為什麼老師不怕你Open Book抄答案？

前面提到過，學期報告的撰寫技巧，同樣的技巧，在申論題型的考試也適用，這也是出題老師不怕學生Open Book考試的原因之一！記得大三那年，考社會學理論的期末考，老師便讓我們Open Book，四題考一整天，只要當天老師下班前交卷即可。

可以寫上一整天，貌似超優渥的考試條件，其實非常痛苦！

大學中最難的考試，是可以Open Book的考試，那代表絕對不可能簡單的在教科書中找到一段可以直接照抄的文字來使用，必須懂得組織不同學術理論流派的觀點。

大學裡課堂上所學的知識、理論，是沒有唯一正確的標準答案的。縱然是算術題，答案可能有一個正確的數值，得到答案的過程也絕非只有一種，而是有無限可能。

「沒有標準答案」，代表甚麼答案可能都是對的，都可以被接受，只要能夠言之成理。大學的學期報告和考試，要測驗的就是學生掌握將一個問題講得「言之成理」的方法是否足夠熟練。

所以，就算拿到考卷真的不知道正確答案是什麼，也不用心慌。只要根據試題上出現的關鍵字，判斷題目的出處以及老師可能要你作答的方向，將這些相關資訊以根據小論文格式完成寫作，展現推導結論（論證）的過程，只要夠精彩，夠扎實，還是能夠被接受的。

Open Book考試，實際上測驗的，是學生使用學科所教授的理論知識，或做研究的方法，思考並解答出題老師的題目的熟練度。

如今的Open Book考試，可以上網的話，可以查詢的資料範圍就更廣了，但顯而易見的，出題老師絕對不會容許學生上網直接找到一批答案複製拷貝貼上的作法，因為這類考試要測驗的不是學生找資料的能力，而是整合資料化為知識的技巧，也就是邏輯推理的技巧，那些知識理論不過是用來展現論辯技巧的工具，雖然正確與否也會影響得分高低，卻非絕對的判準。

在這個沒有標準答案或既定規則可以依循的高速變動世界，年輕人想要生存下來，必須擁有從廣闊資訊大海中，整合提煉出自己所需之答案的能力，學校的Open Book考試或學期報告，就是幫助學生打破追求標準答案或考試一百分的舊有框架，創造適應未來變動社會所需新框架的最佳方法。

打造職場軟實力

◆問題解決力

- **資訊整合力**
- **寫作力**
- **解讀力**

延伸閱讀

龐士東《如何移動富士山》——雅言

大前研一《思考的技術》——商周

大前研一《思考的原點》——商周

能力學習

讀解力是一切工作能力的根本

讀解力，閱讀理解力的縮寫。什麼是閱讀理解力？指的是能夠迅速而正確的閱讀並解析外界給我們的訊息，進而做出適當反應的能力。

假設：你正在讀一篇文章／報導，想要正確理解自己手中正在閱讀的某篇文章／報導，絕對不是帶著自己主觀、預設、既定立場，邊讀邊和文章對話甚至批評，這是絕大多數人閱讀世界／文章的作法，一邊拿著自己的尺，一邊衡量對方的態度／想法和我是否一樣。

想要擁有正確的讀解力，必須先將自己的立場懸置不理，試著進入文章之中，從作者的立場出發，了解作者的社會背景、思考模式、決策心態，融入作者之心，反覆揣摩，思考作者是基於什麼樣的原因，才寫出這樣一篇文章？

不管你同不同意作者的論點，但在帶入自己想法作出評價之前，能否以「同理心」作為思考前提，正確掌握作者的想法？

想一想，如果沒有讀解力，怎麼可能有溝通力？怎麼可能有整合力？也不可能有親和力？反應力再快，若老是錯誤解讀也沒有用！沒有讀解力，執行力很可能一開始根本就搞錯方向而無法貫徹……。

舉例：

部門裡召開一個緊急業務會議，原因是業績下滑，在會議上，各部門主管紛紛就業績下滑問題，提出說明解釋。最後，老闆出面總結，並下達指示，要求業務部門與企劃部門合作，盡速找出提升業績的辦法。

這樣一個會議的召開，看在不同的員工眼裡，有不同的解讀。在業務和企劃部門主管與成員眼裡，成了頭等大事，搞不好要掉腦袋；至於其他部門的主管或成員，對於老闆之所以召開這樣一個會議，各自也都有不同的解讀。有的人認為是要對業務、企劃部門下馬威，有的人認為老闆是小題大作、沒事找事，有的人人認為這件事和我無關，事不關己的聽聽就算……

上述會議，唯有多方蒐集資訊，站在召開會議者的立場思考，理解召開會議者的心態，才能正確解讀此次會議背後的真正目的。八卦地猜測，或者抱怨，對於正確理解資訊沒有幫助，對於做出正確反應更是毫無幫助。開會者該想的是，老闆基於公司營運順暢的前提下，召開這次會議的真正目的為何？

上班族如何解讀職場上所發出的各種資訊是個人的自由，不過，錯誤解讀資訊，很可能做出錯誤反應，進而影響自己的工作升遷、職涯發展。

一名業務員，如果想要拿到好業績，該做的不是大放厥詞的跟客人推銷自己的產品／服務有多好，而是站在顧客的角度，從其所散發的隻言片語之中，推敲出顧客的心態，找出其潛在需求，再從此切入，將產品包裝成能夠解決其問題的樣子賣給對方。

真正成功的業務員或上班族，都是懂得迅速而正確的讀解能力之人。

察言觀色，其目的正是在於根據對方所散發的訊息，做出正確評價以及反應，促成事情順利發展。

5. 至少熟識一位教授或班導師

大學時，我就讀的科系，核心課程幾乎都採「分組教學」，將全班分成六組，每組約九到十人不等，每一組由一個老師帶領，大二上社會統計、大三上社會研究方法，大四寫畢業論文，由同一個老師連帶三年，可以更直接的與學生互動，幫助學生解決學業上的困惑，甚至指導未來生涯發展。

雖然說，表面上看起來，老師之間優劣有別，但無論如何，大學教授幾乎都是博士畢業，且不乏海外名校出身，縱然教學能力不是各個頂尖，基本治學能力和人生歷練還是有的，只要學生願意親近就教，通常都能有所收穫。

好比說，當年大學時我的分組教學老師，被戲稱為最不會教書，最常與同學起爭執的一位。然而，我對老師並沒有太多先入為主的成見，雖然老師的課比較「甜」，不若其他較嚴格的老師，可以學得比較多，卻也因為如此，我們那一組的同學彼此互相合作的機會增加，養成了自主學習的動力，日後出社會大家也都混得很不錯。

老師人很好。當年她得知我要考研究所之後，特意約了我喝咖啡，詳細地傳授了準備考試的技巧和作答訣竅給我，令我受益良多。日後才得知，當年就讀大學時，大學恩師已經罹患癌症到末期，相當嚴重，但他忍著從來不讓學生和系上其他老師知道。大學畢業後沒幾年，恩師就離世了，不管外人評價如何，我自己很感謝老師當年的指導。

如果不是指定分組教學，分配到固定老師，也可以透過修課的過程，尋找志同道合的老師，課餘時間可以多多主動向老師請益，肯定能收穫良多。

大學時代，剛接觸一些學問，從無到有，正式學習速度最快吸收力最強的時候，加上年輕氣盛，難免心高氣傲了一些，若碰上一些老師較為內向而不善表達，容易被學生看不起。

每一個能夠進入大學教書的老師，都有自己的擅長之處，若能懂得找出值得學習之處，加以學習，於你的人生會有很大的幫助。

退一萬步來說，就算系上有些老師真的不怎麼樣，但也不至於每一個老師都很糟糕，大可以找你覺得值得學習的對象跟隨，不用執著於那些你覺得不好的老師！

在強調研究的台灣的大學環境，要碰到能夠授業解惑的經師或許不難，但是要碰到願意關心學生的人師或許比較不容易，加上大學裡老師和學生各忙各的，彼此接觸的機會並不多。但是，學校的老師是比學長姊更寶貴的人生導師，只要留心尋找，每個人一定都能在大學裡找到一兩位氣味相投的老師，好好地跟著這些老師學習，其實大學裡有一種很寶貴的師徒制傳統，老師帶學生學習，找到願意傾囊相授的老師，你所繳的昂貴學費，絕對能十倍百倍地賺回來。

向職場／人生前輩學習

懂得跟教授建立關係，知道該如何從教授身上榨出你要的資訊，是一種提問力的鍛鍊，是學習如何和專業上的前輩互動的機會，更是日後出社會的一種預先社會化的學習。

某種程度上，可以把教授視為主管、前輩，學校裡的教授有一些性格或行事風格也頗為怪異，就好像企業裡總是有各種各樣的主管，職員必須能夠配合公司企業文化與主管行事風格，而不是反過頭來要求公司和主管配合自己。

社會新鮮人常常會搞混的一點是，想到企業裡交朋友，拿情義當作職場人際關係交往的核心主軸。

企業是因利益而招聚人才，建立組織。「利益」才是企業人際關係往來的核心主軸。只要搞懂這一點，就不會覺得其他同事或主管的排擠、競爭或處不來是很痛苦的事情。在組織裡，每個人都有自己的專業職場，各個角色之間難免有立場衝突或對立的時候。只要知道這是因為角色扮演差異，就能夠將人與事分開來，面對衝突也較能就事論事，不會把自己的情緒搭進去。

打造職場軟實力

◆ 提問力，學會問問題很重要

能力學習

出社會第一份工作最重要的是：有好的職場前輩帶

社會新鮮人的第一份工作，有的人以找家穩定的大公司為念，有的人願意為了夢想進入低薪但能學習工作技能的公司，有的人只想考上公職，有的人則敢於冒險，勇敢挑戰辛苦但高薪的工作。無論想進大公司或小公司，非要高薪或者低薪也能接受，都好，只要當事人自己想清楚弄明白，那是自己真正想要的就好。

我認為，社會新鮮人的第一份工作，除了考慮產業、公司與薪水之外，最重要的其實反而是能否碰到一個好的職場前輩（有的產業稱之為師傅，有的公司稱之為新人指導員），願意手把手的傳授你工作所需的專業Know-How，提點自己那些職場成功學書中不會提到的職場默會知識。

記得我剛出社會應徵的第一份工作，是國內頗具規模的零售百貨業。因緣際會，通過人資主管確定錄取後，竟由公司的高層執行副總進行面談，確認往後的工作方向，最後被分配到總公司的採購部門。

公司的採購部門很大，又細分成好幾個單位，偏不巧我被分發的單位，人力剛好非常吃緊，公司又再積極展店，推組織再造的專案，加上採購工作原本就繁忙，弄得每個同事每天都加班加到很晚，卻還被上頭塞了一個毫無戰力且剛入行的菜鳥。

還好，我運氣很好，部門主管指定了最資深的一位前輩來帶我，雖然他實在非常忙碌，但還是抽出了很多時間來，從最基礎開始教我學習採購工作，且其他同事也都願意幫忙，讓我在短短三個月內就順利上手，雖然因為不夠熟練與粗心還是會犯錯，但大體上已經能獨自勝任。

後來，我陸續聽過很多人談起自己出社會後的第一份工作，我發現，能不能遇到好的新人指導員，是決定一個人未來能否勝任此一工作，甚至是影響一個人工作倫理養成的重要關鍵，因為前輩的工作方式與態度，將會大大影響自己面對工作與職場環境的態度。

社會新鮮人除了要學習工作所需的專業技能，更需要了解的工作倫理與人際關係的處理，三者全都必須在日常工作環境中實際操練，能獲得好的前輩的提點與提攜，絕對勝過一個人蒙著頭瞎摸索，很多工作沒有人帶著做，是學不會的。

因此，我認為社會新鮮人的第一份工作能否勝任愉快，往後人生面對職場的態度，新人指導員佔非常關鍵的角色，他教你的不只是工作技能，還有職場倫理工作態度，往往對一個人往後的工作有很大的影響。

要我說，社會新鮮人第一份工作不是看薪水、也不是看公司大小，甚至不是能不能遇到自己想做的事情，而是能否遇到一個願意耐心帶你領略職場工作的美妙之處的好前輩，那是千金難換的寶貴經驗。

6. 先出社會還是先念研究所？

該繼續升學唸研究所，或是直接就業、報考公職，應當是如今大學準畢業生最關心的問題之一？

我自己是大學畢業就先唸研究所。如果長遠來看，其實和畢業幾年後再選擇回學校念研究所的同學相比，並沒有多大的分別，都在研究所階段學了該學的功課，也都能應用到日後工作。

是否應該畢業後直接攻讀研究所，應該根據個別狀況而定，不可一概而論。好比說，家境狀況不好的同學有學貸，除非對學術研究領域特別有興趣且打算一路攻讀到博士，還有把握能在學校找到教職，否則我會建議，先出社會工作，還清　些債務減少經濟壓力之後，再回學校進修。

這年頭只要有心，想念研究所並不難，不必非得大學畢業馬上念，到社會上去歷練幾年，更了解自己的需求後，更能挑選適合自己進修所需的系所攻讀，念研究所的CP值會更高。

最忌諱的就是人云亦云，大家都在讀所以我也要讀，或是反正出社會找不到好工作乾脆先留在學校，把研究所當大五、大六唸的心態最是要不得。雖說現在碩士生滿街跑，感覺上好像沒有碩士學歷找工作更難，其實並不一定是這樣，只要大學四年所學夠扎實，且出社會找工作的態度謙虛、認真、肯學習，有熱情，大學畢業並不難找工作。

還有一種狀況，很現實的也必須在大學畢業後優先選擇攻讀研究所，那就是你所唸的大學科系，是一般世人眼中的後段班大學或所謂沒有競爭力，每年培養了太多同質性畢業生的大學科系。如果能夠透過上研究所讓自己進入前段班排名的大學，或者老字號的綜合型大學，除了可以學歷稍微鍍一下，還能夠在資源更優渥，同儕團體更強大的學習環境裡，提升自己的專業能力。頂尖國立大學的學生，的確在課業學習能力上較為優異，更有不少外星人等級的天才，可謂臥虎藏龍。

人是環境的動物，若能躋身好的學習環境，縱然原本能力差強人意，只要夠努力也能大幅提升能力。這麼說或許功利主義了一點，但是教育商品化且是出社會求職不可或缺的防衛性投資的年代，替自己準備好一點的學歷，其實也不為過！

不過，如果你已經是頂尖大學出身，學經歷漂亮，在學校已經有另外修輔系或雙學位，專業學術知識充足，學習與解決問題能力良好，擁有一種以上的外語能力，未來又不打算走學術研究路線者，就可以直接畢業，不攻讀研究所或等出社會工作幾年後，再根據當時的工作與個人需求選擇研究所就讀即可。

打造職場軟實力

- **閱讀力**
- **筆記力**
- **寫作力**
- **進修力**

延伸閱讀

王樵一《考試達人》——新苗文化

《不花錢學筆記王：研究所榜首篇》——繁星多媒體

能力學習

該轉學或轉系嗎？

或許有些同學覺得自己考得不理想，或考進自己不喜歡的系，因而上了大學，心思完全不在課業／系上，拚命修外系的課，申請轉系或準備參加轉學考。不過，在考慮轉學／系之前，張文亮教授認為，「你會發現不論任何學院，有很多科目是重疊的，如果你累積了相當的經驗，實力夠好，可以研究所再轉。」

無論轉學／系的原因是什麼都無所謂，人生掌握在自己手上，當然要找一門自己想念的科系或一所自己想讀的學校，只是，人不該未審先判，何不花點時間了解一下自己的學校／科系，也許它沒有你想像的那麼糟。

務實的建議，與其花時間準備轉學或轉系考，不如在學校修個輔系或雙主修，日後在挑個好研究所攻讀，會是最省力且效益最大的選擇。

準備考試的學習方法與時間規劃

閱讀與學習，對許多台灣人來說，首先是「功利性」、「生產性」、「就業考量」的，像是努力讀書好通過考試，考取理想高中、大學、研究所，從學校畢業之後，為了爭取軍公教鐵飯碗又得通過一關關的國家考試，為了考試而努力奮鬥。

為了通過學業與就業考試而讀書、學習，也不盡然是壞事。問題是，許多人誤以為，只要靠著一股耐心與不服輸的毅力，持之以恆，就能通過考試。實際上，光靠毅力與耐心支撐考試的朋友，通常只是陪考客，很難金榜題名。

做任何事都得講究方法，準備考試也不例外。記得我大四準備研究所考試時，除了自己設計了一套讀書與準備考試方法之外，就連生活作息與時間分配都嚴密的規劃，務求不為了考試而賠上了日常生活，要兼顧生活與課業。

過分看重、高舉考試，加上混亂的生活作息，沒有好好安排學習與休息的比例，導致不少人臨到上考場反而精神狀況不佳，情緒疲勞，緊張壓力大，臨場表現失常，結果不幸落榜。

考試最重要的就是保持平常心，先確認讀書的目標，了解歷屆通過考試的最低標準，按照自己對考試科目擅長度安排自己的最低錄取標準。舉例來說，研究所考試主考三科，每科一百分，但歷屆最低標錄取成績為50分（平均），也就是說，三科總分只要超過150分就能錄取。按照最低錄取總分與自己各科成績強弱來分配讀書準備的時間。

考生最常犯的錯誤，就是以科科都要拿一百分，平均分配自己用在各科的考試時間。實際狀況是，除非個人非常擅長的科目，否則研究所考試成績單科通常很難超過八十分（大學聯考和國家考試其實也一樣），與其設定不切實際的一百分，不如按照最低錄取標準設計更加實際的得分目標。好比說研究所三科我有一科特別擅長，一科普通，一科較弱，那就把得分標準安排成80、60、40，加起來就有160分，通過考試綽綽有餘。

為了考試而讀書原本就是功利性質的行為，不應該用理想的閱讀學習心態來面對，必須理性計算對自己最有利的取分方式和準備考試的方式。把自己寶貴的時間不按成績強弱平均分配，且不按成績高低的要求自己每一科都要考高分才是不切實際，最容易中箭落馬，除非你真的很會讀書。

了解自己的實力和通過考試之最低錄取分數之後，緊接著就是按照實際能力安排閱讀計畫。不過在此之前，得先替自己規劃一個好的學習閱讀環境。圖書館的閱覽室看似安靜，但人來人往且容易碰到同學朋友干擾，其實不適合讀書，比較適合拿來放鬆心情或者準備資料，寫考古題。

適合準備讀書的環境，最好是封閉，不被干擾不會分心，且不會離實際考場環境太遠的空間。確認目標，找好空間後，接著就是讀書時間的規劃，最好以年為單位，依次按季、月、週、日、時規劃自己的讀書準備進度，像是每讀書五十分鐘要休息十分鐘。每天準備考試的時間我建議，每天每科最多一個小時，較強科目半小時即可。

閱讀、複習進度的規劃，每天一科，一次最好不要超過一課／章，第一次複習與考試閱讀筆記要在多久以內完成，一到兩個月較為理想，第二次以後的每次完成複習時間，應隨著複習次數增加而縮短時間，最後一次複習時間最好壓縮在一天之內完成；倒數第二次是兩天；倒數第三次是三天；倒數第四次是一週……算出自己從現在起到考試前每一科可以用來準備的總體時間，每天讀多久，一週幾天多少小時，再根據自己各科實力強弱進行調整。

何時進行考古題作答練習？最好是每完成一次複習就進行一次模擬考試，以實際考場模擬執行考古題測驗。筆記與講義的製作準備也同樣重要。筆記最好自己做，理想方法是以一本主要課本為架構，將其他課本視為輔助，僅納入主要課本沒提到的概念，構寫出一本專屬於你的學習、應考筆記。

為了考試而讀書之所以會搞壞往後的閱讀胃口，除了填鴨考試外，考生不懂讀書學習與應考準備的方法，只憑著蠻力與意志力強攻猛讀，結果搞得自己身心俱疲又沒能通過考試，回頭埋怨制度不公，厭惡考試。

能順利通過各項考試，不少成績名列前茅的人，就算離開考試之後，還是維持著閱讀習慣，並沒有因為過去的填鴨考試而放棄閱讀。迫使人們放棄讀書樂趣的，與其說是填鴨考試，不如說是填鴨考試帶給人的挫敗經驗，使人逃避，不願再拾起書本來讀。如果能在填鴨考試制度中勝出，也許就不會那麼討厭讀書了。

考生請務必好好管理自己的讀書活動，保持平常心，確認考試標準目標，確認自己的實力，尋找合適的閱讀學習環境，安排學習進度，製作個人專屬講義，善用考古題測試自己的實力，相信一定能取得好成績。就算沒能一次考上，也能知道自己和上榜之間的差距，再找辦法彌補。

小結課業：成績不必第一，好的學習態度和有效的學習方法更重要

雖然已經比以前好很多，但基本上台灣的大學以前的教育，還是上對下、威權式的填鴨考試教育，讓學生死背標準答案為主，要求學生考試成績要好。因此，一路過關斬將上大學的學生，來到大學可能會非常不適應。因為，大學中的課業不再是大學生活唯一且最重要的一件事情，而且考試常常沒有標準答案，甚至根本就不考試，只要求學生交報告。

上課的話，有些老師認為不來上課也沒關係，課堂上更不是只有老師對學生講授知識，老師也經常會對學生拋出疑問，甚至拋出作業要學生帶回家做，而那些作業都是教科書上無法直接找到答案。

謝豐舟教授認為，在大學裡同學應該掌握和其他科系的同學互動時能夠了解他們在思考或想什麼的「核心內容」，一種雖然不多但卻很有必要的知識，學習更重要的不是背教科書中的專業知識，而要「注意邏輯、證據和細節」。邏輯就是做事要有支持的證據，且擁有一致性，不能今天是黑的明天變成白的。證據就是說話客觀有憑據，而非單靠主觀猜測或想像。細節則是保持不失誤不犯錯的關鍵。

在大學裡做學問，重要的不是拿一百分或得出標準答案，而是要嚴格、謹慎地對待自己的學習，對一切所提出的知識負責，因為大學裡的知識不是靠死背得來，而是靠思考研究而產生，必須遵守一套對於思考與研究的規範得出的答案，才是可信的。

台大社會系孫中興教授說，「不論在你們這個時代或是我們那個年代，學生往往無法自老師那取得一個『Big picture』，所以我們所得到的知識往往是拼貼、組合而成的，或許尚能應付考試，但卻不足以用之來面對人生問題……我認為我沒有任何知識是可以用的，除了面對考試；然而考試又是人生中，回過頭來看最不重要的事情，但卻又出現在每個關卡考驗著我們。所以我們花了最多的時間去應付最不重要的事情，而最重要的事情卻沒人教導我們。」

上大學的關鍵任務之一，就是理解「考試並非讀書的目的」，拋棄花時間在應付考試上，試著去找出對我們的人生很重要，但過往的教育卻沒人教導我們的那些應學的功課。

台大哲學系教授苑舉正說，never stop asking的態度是很重要的。現實生活中很多問題是沒有標準答案的，大學生應該學習去挑戰質疑甚至推翻那些世人以為絕對正確的事物。

在大學裡，學會正確的求學的態度與方法要勝過知識的獲得與累積。無論是讀書、課堂討論、寫報告、做研究或考試，重要的是培養一個人的獨立、批判思考，解決問題的能力，人文素養與科學精神，而不是一個人能背多少知識。說難聽點，有Google的今天，甚麼樣的知識內容搜尋不到？

PART 3

下課後——社會／職場軟實力的學習

很多企業開始檢討起大學教育和實際就業需求脫鉤的問題，要求大學增加實務課程，幫助學生能夠一畢業就儘早融入職場環境。

其實，大學畢業生無法快速融入職場環境，並非大學課程與實務工作脫鉤，而是如今的大學越來越不重視能幫助大學生培養就業所需的軟實力的「非正式課程」。

1. 大學生活的非正式課程，打造職場軟實力

如今大學比過去多了不少，參與大學社團和系友會運作的大學生卻少了很多，如今的大學生不再熱衷社團，與系所的學長姐的關係也日漸淡薄。撇開大學是人結交一生摯友最好的時代不談，多交朋友能拓展視野不談，過去的大學對於系友與學長姐的重視，為大學畢業的社會新鮮人帶來數算不盡的好處。

我讀研究所時代，幾個打工工作，在國中當公民短期代課老師、幫網路書店寫導讀書評、幫環評公司做問卷調查……等，都是因為決策者是「系／所的學長姐」，甚至只是念在大家曾經同讀過一個系所，但彼此並不認識，因著對系所的情誼與信任而將工作交給我。有一些工作，大大開啟了我的人生視野，甚至直到今天都還從事相關工作，說是當年的系／所學長姐的提攜，一點都不為過。

再好比說，過去廣電圈有所謂的世新幫，以一個學校的特定系所承攬了一整個產業的核心工作，某種程度上來說，也是因為大家曾經同屬一校、系所的無

形情感連帶的緣故。

出社會之後，無論是在公司服務還是自己擔任SOHO，工作上仍然不斷受到曾經就讀過同樣系所的學長姊的照顧。例如：有個學長知道我要開課，正在找場地，馬上寫信跟我說，他有個場地可以非常便宜的租借給我，還無私的傳授了我許多開課與收費的祕訣。

因為同系就讀過，無論就讀期間是否真的認識，看到後輩有需要，就樂於主動出手幫忙，我以為最主要的原因，在於大家多少在職涯道路上也都曾經受過類似的幫助，而大學之所以能夠培養出如此堅強的「系友文化」，與大學四年裡的學長姊制度、系學會、社團、宿舍等「非正式課程」所傳遞的群體教育有關。透過大學生活的機制，大學生學會互相幫助，推己及人等利他、團隊合作精神。

近年來，很多企業開始檢討起大學教育和實際就業需求脫鉤的問題，要求大學增加實務課程，幫助學生能夠一畢業就儘早融入職場環境。

個人淺見認為，如今的大學畢業生無法快速融入職場環境，並非大學課程與實務工作脫鉤，而是如今的大學越來越不重視這些能幫助大學生培養就業所需的軟實力的「非正式課程」。例如：透過社團參與學會團隊合作、企劃提案、拉贊助、辦活動……等出社會工作所需的基本能力，透過社團、系學會與直屬學長姊制度學習群育……大學裡的正式課程學的是專業能力，非正式課程學的卻是職場工作共通的軟實力——溝通、態度、企劃、問題解決力……。

今天的大學生需要補強的是非正式課程的教育，那不是再多一些實務課程設計就能解決的，而是要重振過往大學生活裡獨特的大學生生活文化，也令大學畢業生對自己的學校、系所感到自豪與認同，否則就算實務課程再多，一個人念完四年大學，對自己的系所沒有認同感，對系上的學長姊、學弟妹沒有同窗情誼，沒有出手幫助後進的心意，大學裡學再多專業或實務課程，出了社會，難以融入職場，被企業主嫌難用的機率，只會高不會低。

接下來這一章，將焦點放在下課後的大學生活的介紹，談一談下課後的非正式課程，與大學生累積職場工作所需的軟實力的關係，特別是學長姊家族制度與社團、系學會生活與人脈培養與建立的關聯性。

2. 學習建立人脈連結：學長姊、直屬、家族制度

上大學之後，第一個感覺到很不一樣的地方，是有個自稱是我「直屬學長」的傢伙出現在我宿舍門口，來跟我解說各種各樣大學新生可能會碰到的問題，幫了我不少忙。

後來，我因為參加迎新宿營活動而腳受傷，直屬學長更是在半年內每週兩次的送我去做中醫復健，因為我寒假要留在台北，免費借出借他在外租賃的套房給我住，對我萬分照顧。

我當然也知道投桃報李，當年學長想追的一個女生，正好是我們班同學的室友，我便自告奮勇的打電話幫忙牽線，後來那位女同學很順利地成為我的學嫂。大學裡的直屬學長姊制度，我認為是非常了不起的發明。除了幫助剛到一個陌生校園的大一新生適應環境，爾後更讓人開始學習照顧人。因為上了大二之後，就換成自己要照顧大一新生。

我自己當了學長之後，雖不能說對直屬學妹有多麼的照顧，但大體上感情還是不錯的。後來學妹想考

研究所時，我也是很樂意傾囊相授，給予一些建議。大學生活的know-how，就靠這套直屬學長姊制度傳承。例如：學長姊向學弟妹分享那些老師的課比較嚴／甜，傳承與出借課本、講義，代為講解上課聽不懂的內容等等。

學長姊更是非常好的人生前輩，他們比我們更早經歷過之後我們得經歷的事情，其經驗可以給我們非常多的啟發。例如：大四或退伍後準備出社會找工作，便可以請教已經在業界的學長姊產業方面的最新資訊，探問企業的工作環境與薪資狀況。宏觀來看，學長姊制度更將同一個系所畢業的學生聚集起來，形成一個龐大而親密的系友圈。

前面提到過，我修過兩次國際學生研討課程，其實這門課程每次都會找一個週末前往宜蘭住宿，進行短期密集訓練，住的就是早年畢業的學長開的宿舍，當然是有優惠價格。

之前我也提到過，有學長聽說我為了開設課程在找教室場地，主動跟我聯絡，願意以非常低廉的價格出租場地給我，還傳授了我非常多的開課技巧，這些情誼之所以能夠開展，說穿了都是學長姊制度的牽線。

在大學裡，能夠交到一生的死黨固然值得欣喜，但能夠碰到願意無償照顧我們，給予照護與關愛的學長姊，更是難得的緣分，我自己從大學畢業快要二十年了，但許多大學時代的學長姊、學弟妹至今仍有聯繫，成了難能可貴的情誼。應當多珍惜並且多花一點時間跟自己的學長姊學弟妹建立情誼，那會是你人生非常寶貴的資產。

大學裡的同學、學長姊、學弟妹，甚至是其他系的學伴，都是一些幫助大學生可以自然而然的學習與人建立關係的機制，讓人學習如何與人相處。

大學是一個全然自由的環境，想要冷漠不理人的活下去也不困難，可是大學並不希望學生耍孤僻與冷漠，大學想要讓學生了解，沒有人是一座孤島，每個人都應該與其他人連結，透過連結可以發揮的力量是我們難以想像的龐大。

學長姊是一座寶庫，蘊藏著許多寶貴的知識，入寶山千萬不要空手而回。

學長姊制度，某種程度會向上延伸到出社會後的職場。有些公司有師徒制，會指派資深員工來指導剛進公司的菜鳥新鮮人，某種程度其實更像學長姊制度的延伸。學長姊制度讓我們學會如何與同輩，但比我們稍微年長的人相處的方法，也讓我們學會如何照顧與我們同輩但比我們資淺者的方法，這套文化機制對於出社會後與公司組織的同事相處，幫助很大。

好好享受大學生活中的學長姊、學弟妹制度帶給你的幫助吧！千萬不要孤僻不理睬你的學長姊或學弟妹喔！

打造職場**軟實力**

◆ **人脈連結力**

延伸閱讀

千田琢哉《有人脈，做什麼都有人幫：46個你不相信但一定有效的人脈術》——如果出版社

能力學習

掌握連結者，就能拓展人脈，掌握世界

你的人脈網裡，連結者的比重有多少？

人脈對於工作很重要，我們都知道。不過，擴充商場人脈，並非只是認識的人越多，或者交情越深，越能取得對方信任就夠了，真正有用的商場人脈，關鍵在於對方能否幫你擴大人脈網，與廣闊的世界建立連結。

你的人脈中有多少比例的「連結者」，堪稱決定你的事業成敗！

什麼是連結者？連結者有什麼特別之處？

連結者是一種能八面玲瓏，同時連結眾多不同屬性的社會群體的人，是社會網絡中的關鍵節點，擁有非常多的關係網絡，與許多人有連結。

掌握越多的連結者，訊息發送越快、越廣。連結者，不一定是流量驚人的A咖部落客，但卻是只要轉貼文章，自己的朋友與粉絲一定會瘋狂地幫忙轉貼出去，引發廣泛散布的人。通常，連結者也樂於廣結善緣，因此，在搜尋潛在客戶時，與其傻傻地花時間在明顯不善與人交際的對象，還不如多花時間與連結者建立關係。

從事廣告、公關、行銷、業務，甚至是網路創作人等，必須大量與人接觸的工作，自己並不一定要擁有非常多的人脈，只要你的人脈中擁有夠多的連結者，就可以讓你吃喝不盡。

我自己有過幾篇發表在網路上的文章，經過連結者型的朋友轉貼後，他的朋友們馬上大量轉發，一天之內文章點閱率隨即破萬，傳播速率驚人。

社會學理論中有個概念叫「弱連帶」——A與B認識，B與C認識，屬強連帶，A與C則是弱連帶。找工作或者拉生意，通常都靠弱連帶的媒介，連結者則是擁有大量強連帶的人，與連結者認識的你，將因此而獲得大量的弱連帶，為你帶來許多的合作、銷售機會。

郭台銘曾經說過，「速度快者賺利潤，速度慢者賺庫存」，在這變動超快速的商業社會，產品資訊傳播的「速度」決定銷售成敗。

速度之所以變得關鍵，則拜網路與社群網站崛起之賜，全球十億網民成了訊息的源頭，世界上哪一個角落發生大事，隨即有人將其貼上網，再透過email、手機簡訊、推特、臉書等社群網站擴散出去。

資訊之所以能快速擴散到全世界，靠的是極為少數的關鍵「連結者」。《鄉民來了》一書的作者說，連結者的數量非常稀少，但每一個連結者手上卻掌握了大量來自不同群體的人群名單。

當連結者散佈一則資訊，可以迅速傳播到不同的群體。

無論是公司行銷產品，還是上班族累積人脈，貴精不貴多，掌握少數有效的連結者，會比擁有大量非連結者有效，例如：在臉書上閱讀你的文章並且幫你按讚與轉發的人，會讓你更有機會拓展自己的人脈與事業！

3. 正式社交宴會之家聚、聯誼、慶功宴、舞會、派對、謝師宴

大學的非正式課程，說穿了就是出社會後人際關係、社交生活的預先社會化，練習場。好比說家聚、聯誼、慶功宴、舞會、派對、謝師宴，其實就是社會人的商務應酬，社交活動的學生版。

記得當年系上有個老師非常熱心，剛好他自己擁有調酒師執照，也熟悉國外的酒會活動。於是，每年都要為大一新生舉辦酒會，一種形式很簡樸但內容很到位的聯歡酒會。透過這樣的酒會，讓大一新生們彼此熟悉，也讓更多學長姊有機會認識大一新生，反之亦然。

大學家聚活動，更是有意思。我人生第一次前往高級餐廳用餐，就是大學時代參加家聚活動。以前中學時代總是吃便當或媽媽煮的飯，頂多吃吃夜市平價牛排，根本沒見識過高級餐廳。或許是我老土，不過我想應該還是有不少同學跟我一樣，上大學前沒上過高級餐廳吃飯，也不懂這類餐廳禮儀。透過家聚，除了聯絡情誼，開了眼界，也學了一點基本的正式用餐禮儀，獲益良多。家聚的好處不只於此，好比說如果想認識某個學妹

但不敢直接開口，可以透過聯合家聚的方式，替自己創造認識對方的機會。另外，這幾年大學裡每逢聖誕或跨年總會舉辦各種大型舞會或聯歡晚會，更是大學生學習社交禮儀的好地方。

參加舞會或正式晚宴，應該穿甚麼樣的服裝出席，席間該如何與陌生人攀談、結識？都有定規可循。學生也可以透過這些晚會活動，練習與陌生人的應對進退，出社會之後若需要參加商務洽公聯誼、晚宴應酬，也不至於毫無經驗，出糗鬧笑話。

慶功宴、謝師宴、聯誼活動，出社會後也是經常會碰到的社交活動場合，在學生時代就能練習在宴會活動上的正確應對進退，對自己的職場生涯發展只有加分。

對社會人來說，會不會參加派對，能不能在派對或晚宴活動上和結交新的事業夥伴，取悅客戶，拉近彼此距離，對工作的影響很大，是不容小覷的社交軟實力。商場上的公務洽談，其實談的也不會都是公務，反而是不著邊際的閒聊，懂得很多的冷知識或對社會事件有見識，更能受到客戶廠商的青睞。聊天是一種高級社交技巧，需要多磨練與學習。若能從大學生活就開始練習，知道如何透過社交晚宴來結識想要結識的人，培養關係與人脈，雖然或許仍然比不上社會人來得老練，但也不至於完全陌生而不知如何是好！

打造職場軟實力

- ◆ Party力
- ◆ 商務社交聯誼力

延伸閱讀

陳弘美《餐桌上的禮儀》——麥田

陳弘美《現代社會人的國際禮儀》——麥田

能力學習

飯局決定你的結局

沒錯，千萬別獨自吃午餐！

坊間有不少書，教導上班族「別獨自吃午餐」，應該利用午餐時間，成為拓展人脈的利器。這些書詳盡的的告訴我們，什麼時候該和什麼人約在什麼餐廳用午餐，該穿什麼服飾行頭，餐桌上該聊什麼話題，該怎麼付帳等等，鉅細靡遺。

重點是：什麼時候可以把話題引導到生意上？

這些作者們真誠的相信，只要懂午餐藝術的話，你的業績肯定會百倍成長。是啊，前提是你沒有被踢出公司或被部門同事排擠的話。

先安內、再攘外——你懂得和同事午餐的藝術嗎？

雖然有這麼多書教導我們該如何利用午餐時間，和客戶廠商聯絡感情，培養關係，但卻沒什麼書告訴我們，該如何和我們每天都必須長時間相處的辦公室同事共進午餐？

我認為，懂得和辦公室同事共進午餐的藝術，遠比懂得如何和客戶廠商吃飯來得根本且重要。畢竟，得先安內才能攘外，如果你連公司裡都擺不平了，就算你再會搶訂單，又有什麼用？

比起客戶，和同事用餐是更困難。同事之間彼此競爭卻又合作，利益關係一致，即替公司、部門賺取最大利益；卻又分殊，如替自己爭取升遷／加薪，表面上很合諧，但私底下暗潮洶湧，特別是競爭激烈的商業組織。和同事吃飯，是門藝術。這是門大學問，需要花時間揣摩學習。若不能掌握好自己部門同事的關係，在外面再會打拚都是沒有用的，因為同事們幾句閒言閒語就能夠讓你的功勞化為烏有。

有點黏，又不會太黏：與同事共進午餐的祕訣

如果到了中午用餐時間，老是一個人躲開同事自己出去吃飯，看在上司眼中，肯定認為這樣的員工不合群，無法融入組織；反之，還沒到中午，就積極熱情的拿出訂便當手冊，詢問部門裡同事中午要吃什麼的人，則是熱心過頭，被貼上狗腿標籤的機率很大，或許工作能力很強，身段很柔軟，但同事卻容易在無形中對這樣的人形成防線。

最好的作法是，一週五天，幾天和同事用餐，幾天和客戶、朋友吃飯，視情況而定，絕對不要把時間全都留給客戶、同事。畢竟一般上班族哪可能忙到一週五天天天都得跟客戶吃飯，多半時間是跟同事和在一起。

習慣自己帶便當的，最好偶爾「忘了」或「不想準備」，和同事一起「訂便當」。甚至有時候便當都帶了，但部門大夥決定出去吃好料，也要懂得識時務，找理由說不吃便當，要跟大家一起出去。如果部門同事們習慣午休時一起出去吃飯，就不要老是自己帶便當；如果同事們習慣訂便當在辦公室聚在一起吃，則不要老是一個人跑出去吃飯。

總之，要有點黏又不會太黏，有點跟隨主流意見，但偶爾有點自己的想法和堅持。

午餐是觀察同事性格，擬定相處之道的重要場合

同事們在飯席間，聊的絕大部分是公司營運狀況，廠商客戶的八卦，偶爾才會提一下私人生活，有些主管甚至會利用同事聚在一起的午餐時間，做一下非正式的午餐會報，討論一些重要的經營課題，可以降低嚴肅性，透過閒聊觀察同仁實際反應。

和同事吃飯是深入了解對方的好機會，從對方喜歡吃的菜色，用餐的習慣、態度，多少都能觀察出一個人的性格。

此外，用餐氣氛活絡的話，也有助於彼此放下心防，建立信賴與合作關係。和同事交流產業消息、客戶八卦，也有助於凝聚部門同事團結。凝聚向心力最佳法則就是：聯合內部抵抗外部。

總之，千萬不要忽略了和部門同事用餐的藝術！

記住名諱贏得客戶心

在電影《穿著Prada的惡魔》裡，有一幕是女主角和同事陪同惡魔女上司出席晚宴，隨侍在女上司身邊，隨時為她提醒前來握手的人的姓名、職業、興趣等基本資料，好讓女上司能夠做出得體的應對。

女主角的同事甚至因為無法迅速提醒，而丟掉了前往巴黎參加時裝週的重要出差。女主角為了這場宴會，行前背了好幾本宴會名單基本資料，才將所有人的背景資料全都記在腦海裡。

名字是獨一無二的身分象徵

在職場上，我們都知道，記住名字很重要，從老闆、直屬主管的名字，到重要客戶與客戶的家人、好友的名字，甚至敵對廠商的名字，還有尚未成為客戶的潛在客戶的名字更是重要。有時候，一筆生意之所以能夠談成，只因為能夠叫出對方的名字。

名字之所以重要，是因為名字是最獨一無二的分類法，最能代表某個人的身分象徵，除了少數人例外，絕大多數人都珍重並喜愛自己的名字，享受被人一眼就認出來，並且叫得出名字那種優越感。

雖然名字很重要，但人的記憶力卻很有限，而且非常不可靠。因此，若想要能夠好好記牢客戶與商務宴會、會議上認識的人的名字，最好做一點準備功夫。

行前預備功夫

無論是出席商務宴會、會議，還是拜訪客戶，千萬不要只準備提案所需的企劃書資料，忘了準備出席人員名單。無論出席的場合是什麼，主辦單位那裡肯定都有出席者的名單，事先去函向主辦單位申請與會者的名單，如果有與會者的照片最好。

拿到名單後，根據出席者的身分、性別、職銜／務、學經歷等背景資料進行分類，按照每一個出席者的個人資料找出和自己有相同淵源的地方，記住出席者的名字和長相以及和自己的關係。

事先評估名單與身分背景，是為了排定與會時必要的會面次序，如，有沒有你一定想認識的人？有哪些人可以成為你認識關鍵人物的輔助？找出對方目前的工作重心，關懷的事物……等，這時Google能幫助你收集更多個人資訊，與會時能夠順利和對方交談的資料，找到聊天和建立關係的切入點。

如果名字有特別難發音的字，一定要先查好發音，牢記在心。通常這些人的名字容易被念錯，如果你能一次就讀對，肯定能贏得對方好感。

熟讀名單，把名單帶著，正式場合前再花點時間複習，等到有機會能叫出這些人的名字時，要向老朋友般自然而然的稱呼他們的名字。雖然記住並念出名字只是小事，但卻能給對方感受到自己的用心。對方不免會想，僅只是一場小會議／宴會就如此用心準備，想必工作也很謹慎、用心，自然提升了對你的好感與進一步合作的意願。

活動當天

雖然事先取得與會者名單，熟記資料，不過如果是初次見面的人，還是不宜裝出過份親密、熱絡的樣子。依然需要從交換名片，彼此介紹開始。只是，事先準備讓你知道最好找誰來幫你引薦？交換名片後，該聊什麼話題？避開什麼禁忌？替你爭取結交人脈，打通關係的機會。

善用會議上發放的名牌，別在明顯可見的地方，有些人喜歡故作瀟灑，不喜歡別上名牌，卻因此錯過結識重要人物的好機會。不過，大人物往往不喜歡別名牌，他們認為所有人都應該認識自己。事先準備的好處是，讓你一眼認出自己想認識的大人物，不會因為對方沒有別名牌而錯過。

記得，不要浪費時間在宴會／會議提供的餐點，最好行前就先吃飽，商務會議／宴會是讓你認識重要客戶的機會，如果你花太多時間在吃好吃的東西，將會錯過認識人的機會。試想，有人替你引薦認識某位大老闆時，你嘴裡正好塞滿食物，會是多麼糟糕的第一印象？

在宴會或會議上收到名片後，記得在交談過後，找時間將你在交談過程中所得到的個人資訊記錄在名片上，千萬不要忽略這個小動作，記住個人資訊對往後互動有非常大的幫助，人們通常欣賞第一次見面就能記住自己名字和個人資訊的人。

不要害怕和身分高於自己的人攀談，反而要把握機會，利用事先準備的資料贏得對方的好感。記得，大老闆與高階主管是不輕易與人交換名片的，別傻傻的想和對方換名片，除非對方先開口向你要名片或給你名片；不要厭惡和身分低於自己的人交談，你永遠不知道這些身分職階比你低的人，在公司的實際重要性。

得體有禮的面對你所認識的每一個人，把他們當作朋友般對待，不要歧視，也不要過於崇媚，保持專業自信，大方以對就可以了。

會後整理、紀錄

商務宴會、會議結束後，最好在當週工作日結束前，給你在會議、宴會上新認識的朋友、客戶發封Email問候信。不過，如果是重要人物，信件能夠手寫、郵寄是最好。的確，現代商務往來已經沒什麼人在寫信，但是，正因為如此才能顯得你的慎重與真誠。

信件的內容不要冗長，主要針對會面當天所談及的內容做摘要整理，並感謝對方撥空與你談話，讓你收穫良多。如果能夠在信件中引用對方說過的話，適當的提及對方曾經表示關心的事情的後續發展，更能拉近彼此的關係。

試著在認識人這件事上做好功課，肯定能替你廣結人緣，贏得好印象，賺進好業績。

4. 系學會、高中校友會：群體認同的實踐與凝聚

我是嘉義高中畢業，嘉義人。上大學之前，只到過台北三次，對台北一點都不熟。大學聯考放榜，考上輔大社會學系。不久，便有輔大雲嘉會的人發來通知，原來雲嘉會準備了專車，可以在統一時間，送嘉義和雲林地區考上輔大的新生到學校。記得那天下著超大豪雨，學校淹水，很慶幸自己是搭專車，車直接開進學校把同學們送到各自的宿舍。如果自己來台北，可能行李都泡湯了！

等我抵達宿舍，稍微安頓好之後，便有輔大雲嘉會的學長現身，說要帶我們去吃飯與採買民生用品，受到學長們很多照顧。到異地讀書的同學，或多或少都會加入高中校友會組織。這類組織除了幫助新生熟悉校園，開學與學期結束，以及大型選舉期間，都會開辦返鄉專車，方便遠方遊子使用。

每年農曆春節或寒暑假，高中校友會組織也會推出各種聚會活動，鼓勵同校同學前來參加，凝聚情感，增進交流！除此之外，平日還會舉辦各種聯誼或

聚會，讓同樣地區出身且就讀同樣學校的學生們彼此認識。俗話說得好，人不親土親。特別是到遠方讀書之後，更感覺同鄉情誼的可貴。而且，後來我發現，不少人的戀愛或婚姻對象，竟然都是當年高中校友會的裡認識的夥伴。

與校友會性質類似的，當屬系學會，每一個科系都有一個由學生組成的系學會組織，負責照管系上學生的日常在校事務，也負起跟系上或學校協調的責任。

系學會的主力幹部大多由大三學生出任，負責籌辦當年度的系學之夜、書展等相關活動。另外，平日裡還負責系館學生空間的管理，像是置物櫃的出租、海報的張貼等等。

系學會與高中校友會，我以為，是幫助大學生建立認同感的重要組織。上了大學之後，人們會開始積極追尋自我，探問我是誰、未來要做甚麼？系學會從學系的角度提供了一連串的服務，讓學生逐漸地對自己身處的科系產生認同。高中校友會則是透過服務的提供，讓遠地遊子對自己的出身產生認同。都是幫助大學生自我定位的重要組織。

參加系學會或校友會，除了可以享受到各種服務之外，同時也是學習以各種方式與人建立關係，學習給予與付出，學習無償服務人的精神，更是鍛鍊自己籌辦與執行活動的能力。

一個人日後對自己所就讀的學校或科系是否能夠產生認同，除了是否喜歡這個科系的課程與老師之外，系學會的活動或服務能力，也有很深刻的影響。人都是透過一些共同從事的活動，一起製造事件與回憶，累積彼此的情誼。系學會或校友會正是讓這些事件發生的平台。參與其中，日後便能感受其威力！

打造職場**軟實力**

人脈力

連結力

延伸閱讀

《偷窺公關女王的人脈筆記 終極版活用寶典》——三采

能力學習

人脈存款要豐富的祕訣：善用弱連帶

弱連帶（weaklink）：設若A認識B，B認識C，則A與B，B與C為強連帶，A與C為弱連帶。弱連帶是史丹佛社會學者Mark S. Granovetter所提出的研究成果。弱連帶（weaklink）指的是：設若A認識B，B認識C，則A與B，B與C為強連帶，A與C為弱連帶。

人們在工作或尋找策略結盟時，常透過弱連帶，建立人脈連結，促成合作。

在弱連帶的想法中，人被當成節點。節點與節點之間透過一條條或強或弱的連帶線牽繫著。一個人在社會上的競爭優勢，不是看他所擁有的強連帶多寡，而是看他所能運用的弱連帶連結數。一個人擁有的人脈越多元，能夠建立的弱連帶越多，越能夠擴展人脈。

近年來相當流行的六度分離理論——六人小世界，指一個人可以透過六個人與世界上任何一個人搭上關係，其理論基礎亦在弱連帶的不斷的鑲嵌與連結上。

想要創造豐厚的社會資本，就必須多在人脈存摺存款。建立人脈之前，我們必須先了解自己在當前社會中所扮演的角色，所佔據的位置，所擁有的資源與權力，視自己為節點，盡可能找出和其他人建立連結的方法與管道。例如：每個人都能夠產生強連帶發生的地方，如家庭、同學、同事，就要好好把握，這裡是每個人在成長歷程中，注定會遭遇節點、建立關係的地方。這些節點為我們的初級連帶，也是重要的強連帶，更是擴展人脈，創造弱連帶的基礎。試著在將你的家人親屬、各級同學、工作同事，按遠近親疏，整理出與你的強連帶清單。並針對這些人撰寫各自的人生簡歷，剖析每個人的優缺點專長所屬社會位置，所擁有社會資源，了解每個人和自己建立連帶的原因和方向。接著便是利用同學聚會、朋友聚餐、工作合作等各種方式，擴張你的人際節點。盡可能的去認識你的強連帶的人際網絡，但無須過於活絡。

弱連帶的優點在於，無須將每個節點，都轉化成強連帶，有些合作關係反而是透過有點熟又不太熟的弱連帶關係最能達成。彼此太過熟悉的強連帶，反而因為害怕失敗風險或面子不好拒絕而破壞彼此關係，反而不建議合作。

舉例來說，一個好業務員並不一定要跟每個好朋友做生意，反而應該透過好朋友介紹一些朋友，找尋雙方擁有合作意願的弱連帶，洽談生意或合作。在朋友的信任前提下，請朋友代為告知引薦既可，讓朋友介紹他的朋友給你。在雙方都有意願的情況下，透過強連帶節點，進行合作洽談。如此一來，即便洽談不成，也不會傷感情，彼此都可以退回陌生人的角色。若是洽談成功，則可以透過強連帶節點增加連帶強度，並將對方納入自己的強連帶節點，往後再透過新節點擴張弱連帶。

強弱連帶的交叉應用得宜，才能夠創造豐厚的人脈資本，將自己的人脈存摺存的滿滿。利用節點連結數量的倍增，來增加人脈存款。當然，這一切前提必須建立在你是個可信任的人身上，否則一切都是空談。

奉獻才是培養有用人脈的方法

認識不等於人脈

擁有人脈的好處真的很多，問題是，不少人都誤解了「人脈」的定義以及正確累積人脈，使人脈能夠發揮效益的方法。光是認識一個人，或者說光是兩個人彼此認識，並不能稱得上人脈。好比說A和B是中學同班同學，私交也很好。然而，兩個人的專長和工作領域完全不同，平常互動也僅止於私人場合的聚會，並不觸及工作方面。這樣的兩個人，就不能算是人脈。

人脈的基礎不是「你認識誰」，精準的定義應該是，「你能提供什麼有價值的東西給對方，讓對方在需要那個有價值的東西時，第一個想起的人是你。」這才是人脈。

舉例來說，有個汽車業務員對於汽車的專業知識非常了解，不只自家車款，就連其他同業的車款也都很了解，且能公允客觀的給予評價。這位汽車業務以這個專長作為開拓人脈的賣點，讓人在想到汽車相關的事情時，第一個想到要找的人就是他。

搞清楚「人脈」的類型

像上述沒有工作交集的同學，頂多只能說是「私人情誼」領域的「人脈」，未必能用到工作領域，未必能對你的工作有幫助。這也是為何許多從自己親朋好友下手推銷產品的新人業務，通常都撐不過半年就陣亡退出的原因。需要高度仰賴人脈的業務員，錯把認識的人際關係當人脈，結果當有限的人際關係被洗過一次之後，又無法以自己的專業能力建立人脈，最後只好轉換跑道，離開業務工作。相信每個人都有接到剛成為業務的老同學或朋友的推銷電話的時候吧？是不是覺得很尷尬並且不想購買其所推銷的產品？因為，對你來說，此人只是你「私人情誼」領域的人脈，而非其所推銷之產品的「人脈」。縱然「有認識」提供了一個機會銷售產品，但最後成交的關鍵還是在產品本身與推銷者的專業，而非「認識」。

有用的人脈要怎麼建立？

對職場工作有用的人脈，需要以你的專業素養來建立。立足點不是「我認識誰」，而是「對方對你的專業是否感興趣？」、「我能為對方做什麼？」、「你對別人有什麼用？」

當別人想到你所販賣的商品或服務時，會不會覺得你很有用，對他有幫助而來找你，甚至因為服務很好留下好印象，而願意在他的朋友問起這件產品或服務時推薦你。也就是說，建立人脈的核心在「奉獻付出」，「為他人著想」，而不是只想著自己的業績。抱著只想著要賣掉自己手中的產品去建立的，不是人脈，而是人人避之而後快的討厭人際關係。

想建立有用的人脈，絕對不是靠多參加活動、講習、派對，多交換名片，多認識人就能建立，還必須在和對方認識、交流互動的時候，明確的讓對方了解你對某個領域的熟悉與專業，給對方可信任感。這項產品或服務就算對方當下不用，也許將來會用，而將來用得到時，第一個就會想起你。要想讓對方能夠第一個想起你，除了在認識時給對方留下明確的第一印象，日後還要多互動、聯絡感情，將關係維持住（但並不是以酒肉朋友吃喝玩樂的方式維持，而是以不斷給予相關產品與服務專業資訊的方式來維繫）。時間一久，對方對你的專業印象深刻且有相關的事情就主動來尋問你，而你總能給予滿意的答案時，便真正建立了這條「人脈」。

真心為他人著想，好處遲早會回報到你身上

為了厚實「人脈」，需要的不只是一般的交際應酬，而是專業知識／技能的掌握累積，讓自己成為自己所銷售的產品、服務的超級專家，所說的話都能讓人信任。

了解對方的需求，認識自己的能力，知道自己對對方有用之處，以此做為建立人脈關係的基石，關係建立起來後不斷以自己的專業能力強化鞏固，使對方成為你牢不可破的人脈。真心為他人著想，好處遲早會回報到你身上。

5. 社團生活訓練出社會後工作軟實力

社團生活是大學生活的非正式課程中，可以提供學生最多學習與幫助的地方。在社團所學習到的東西，一點都不輸正式課程，某種程度上甚至過之而無不及。

無論如何，請至少參加一個社團，並且積極參與，社團生活更是學習未來打造職場軟實力的最好所在，所有你出社會工作所需的態度與技能，在社團生活中都能學得到。上大學不參加社團，可以說是白讀大學了！大學四年，典型的社團生活：

大一時受到學長姊的熱情款待與照顧，讓人彷彿進入一個美滿的大家庭；大二時你開始擔任社團基層幹部，為社團付出、和人合作，縱使有困難，活動還是如期舉行；大三時升任核心幹部，經過種種經歷，豐富個人閱歷，最後交棒給下一屆；大四同儕們建立起較深刻的友誼，關係雖說不上完美但很值得珍惜。

就像大四畢業專題報告，是總結四年正式課程學習成果一樣，大三社團核心幹部負責主導的大型社團周活動，是大學社團生活學習的總結，這個長達一週的大型社團活動週，由許多小型活動串聯組成，行前需要創意發想，詳細的企劃，溝通討論，找贊助廠商，談廣告合作，籌募經費；活動開跑後要宣傳廣告，拉人來參加；活動結束後要善後與檢討，與企業的大型活動專案執行規格無異。我在大學參加的是基督教性質的社團，大二擔任租借場地的行政幹部，大三接任行政統籌幹部（兼副社長）。大二的行政幹部工作，只是單純的執行，工作內容就是負責向學校租借與歸還舉辦社團活動需用的各種教室。大三擔任行政統籌幹部後，主要是督導與管理大二社團學生負責的各項行政工作，除了過去我自己擔任過的場地租借工作外，還有其他像是海報張貼與撰寫，社團活動排程規劃等等。大三擔任社團核心幹部後，每週得固定跟其他社團核心幹部一起開會，除了討論社團運作的日常狀況，就是籌辦當年度的社團週活動。透過開會，學習表達個人意見，與不同意見者溝通……另外，大學四年持續參加社團舉辦的各種課程和活動，也讓我學到非常多課業以外的專門知識，以及對身心靈發展有幫助的專業技能（社團通常會安排專門的演講員分享專業知識）。

不同的社團有不同的活動偏重，每個人都可以根據自己的興趣和性格挑選社團參加。在社團生活中，可以學到待人接物的方法，活動策劃與執行、籌措經費、動員群眾、團隊合作、溝通協商、領導統御、開會、商務洽商、找贊助廠商的祕訣。此外，就算活動辦砸了也不會被開除，夥伴們還會鼓勵你並且幫助你重新站起來，透過協助社團良序運轉的過程，還能學會日後職場工作所需的技能。

透過社團的日常維運，可以學會行政庶務的規劃與執行，可以結交到志同道合的朋友，建立起跨校／科系、跨學年甚至是跨產業的人脈。例如：電機系的學生可以認識法律系的學生，文學系的學生可以認識醫學系的學生，對於眼界視野的開拓，將來的工作、戀愛交友、生活規劃或就業有相當的幫助。我自己的大學社團生活就蠻豐富的，也從中學到非常多的事情，在社團所結交到一輩子的好朋友，談了雖然失敗但卻不後悔的戀愛。社團生活是除了打工之外，最接近職場預先社會化的實作練習，每個人都應該積極參與，社團經驗對往後的人生絕對有非常關鍵性的幫助。兼顧社團活動與學業成績的學生，將來出社會的工作表現也多半很優秀。因為這些學生懂得時間規劃的方法，知道如何在有限的時間內完成很多的事情。

《哈佛經驗：如何讀大學》一書的作者，透過研究調查發現，真正優秀的學生是課業與課後活動都能兼顧的人，至少參加一個社團活動，甚至週末還會參加志工服務，找時間從事社會服務，非常善於時間規劃與執行，不是只有死讀書不做其他事情。

只有課業拿下好成績，其他像是社團生活或系學會等課後活動全都放棄不參與者，出社會之後的表現恐怕將不如能夠兼顧所有活動的學生，因為商場的競爭看的不只是專業能力的表現，還有待人處事，許多事情更是非得靠人脈連結的方式才能完成，光是專業表現好並沒有用！

打造職場軟實力

- **溝通力**
- **執行力**
- **行銷力**
- **企劃力**

- **公關力**
- **人脈力**
- **規劃力**
- **提問力**

延伸閱讀

《哈佛經驗》——立緒文化

《來去社大玩社團》——開學文化

能力學習

厚實的人脈只能透過工作的過程建立

人脈只能透過工作的過程建立。——鈴木芳雄．BRUTUS副總編輯

一般人認為，工作上成功，指的是拿到好薪水，創造高業績，掛上漂亮的頭銜。不過，日本知名編輯石川次郎卻認為，工作上真正的成功，是當自己遭遇困難時，有多少人願意出手援助！想要有人在自己落難時伸手幫助，除了平日就該多幫助落難的人之外，更需要好好地累積屬於自己的人脈，只有自己人才會在自己落難時伸出援手。

「人脈學」是這幾年很紅的話題，每個人都想知道如何累積人脈，如何透過人脈創造

自己的事業。有人說，「人脈」像「銀行存摺」，必須一點一滴的累積。然而，真正的「人脈」該如何累積？有些人認為應該多出席商務宴會，多和業界的人交流、交換名片、建立關係。不過，鈴木芳雄認為，「人脈只能透過工作的過程建立」。光靠請客吃飯、喝酒聊天、瞎混打屁、打高爾夫、上酒店……攀關係，是沒辦法建立真正的人脈的。

日本知名編輯，同時也是幻冬社創辦人見城徹說過，參加宴會只是喝酒聊天發名片，露臉套交情，讓人誤以為我和這麼多有頭有臉的人有關係，「沒有特殊理由我是不會參加宴會的，在那種地方根本辦不了什麼事情。」見城徹累積人脈的方式，是拚命地為作家思考，對其作品提出中肯的建議，和對方一起創作出叫好又叫座的作品，替作家解決煩惱……作一個肯為自己擔任編輯的作家賣命願意的人。也因此，當見城徹離開角川書店，自行創辦幻冬社時，過去曾和他合作過的超大牌作家，如五木寬之、宮部美幸、村上龍等人，都願意繼續和他合作，在他的新出版社出書，奠定其新公司日後的基礎。

真正的人脈，是是扎扎實實地和對方一起工作，因為合作出令彼此滿意的工作效果，於是開始和對方建立緊密的連帶，對方開始認可自己的能力和貢獻，願意信任、認同自己，願意繼續和自己合作，甚至在不合作的私人時間也有所往來，人脈從此之中漸形成、扎根、厚實，進而無可動搖，且在自己真正需要幫助時能夠動用之。光是到宴會場上發名片，以為和某某名人一起吃過飯、喝過酒，收到對方的名片，就把對方算成自己的人脈，算是一種人脈經營的素樸樂天主義，把人脈經營想得太過簡單、美好而不切實際。

6. 學習多元包容與自主管理：宿舍生活、學生餐廳與洗衣房

宿舍是大學生活最有趣的一環。宿舍裡無奇不有，有髒亂渾沌的一面，也有秩序井然的一面。宿舍裡有來自四面八方的同學，有各種生活習慣和價值觀的學生一起生活。

住宿生活，必須能夠包容其他與自己不同美學風格與生活方式的人，彼此要能協調出都能接受的規範，在尊重各自的主體性的前提下，還能維持和諧。例如：有的人半夜不睡覺讀書或打電動，有的卻是規律地晚上十一點就要上床就寢；有的人髒的三天才洗一次澡，有的人天生有潔癖。

大學生裡在宿舍享受不受約束的完全自由，想要盡情的墮落鬼混，或者認真努力都可以。宿舍生活，某種程度就是人性的完全解放，你愛怎麼過都可以（雖然有舍監，但只要不違法太超過，通常舍監也不會管）。而這一點，將成為判定一個人日後發展成就的關鍵。

大學宿舍根本是人類價值觀的博物館，甚麼樣的人都能在宿舍裡看到，且看盡其最真實的一面。

社團生活幫助你學習工作所需的必要軟實力，而大學宿舍則是非正式課程中最直入人性本質的一面，在這裡你能夠窺見人心最深層的內在層面，扒掉了社會角色與社會期待之後，赤裸裸的人性與人生觀都在此展現。

宿舍展現了青年造反、抗議精神，極少有人會乖乖遵守宿舍的規矩，有門禁就一定有人故意要違反，要求秩序就一定有人以髒亂回報，半夜不睡覺，偷偷在宿舍裡烹煮，夾帶女性回男生宿舍……什麼都有，什麼都不奇怪。想要豐富大學生活，一定要體驗住宿生活。這裡的所有反抗與遵守，都不是出於規範或懲罰，而是出於自主性。自主性就是大學宿舍最根本核心的價值信念，人有權決定自己的身體與生活要怎麼過！你可以在宿舍裡睡覺、發呆，也可以讀書寫作業，你可以找人串門子聊天，也可以耍孤僻成天上網打電動。

在大學宿舍你可以交朋友，盡情揮灑青春，感受自由體驗性感，可以豪放尋歡，可以喝酒抽菸，可以感受幽默，可以看見強烈的性格，可以放蕩不羈。無所不可，這就是大學宿舍生活的價值所在，宿舍就是大學文化的精華。我大學前三年都住宿舍，受惠良多，特別是大一新生時期，受高中校友會與系上學長提點照顧頗多。例如：學長們晚上幫我們開課，提供我們發問，問所有關於課業上難解的習題，以及如何追女朋友等生活上的難題。三五個人晚上一起翻牆，跑出校外去吃消夜，沒有女朋友的時候一起窩在宿舍裡慶生或打發無聊的週末夜晚，偶爾喝喝小酒閒聊一下其他同學或老師的八卦，看著熬夜讀書睡過頭忘記去考試的法律系同學們悔憾的鬼叫，羨慕有女朋友的男同學可以在夜晚收到寶貴的消夜……。

經歷過大學宿舍生活的人，肯定懂得如何劃定人我界線，如何與不同價值觀的人協商溝通找出彼此都能接受的折衷方法，可以認識原本生活中根本沒有機會認識的人。哈佛大學為了讓學生體會住宿的好處，強制全體新生住宿，並且刻意分派不同膚色信仰社會階層的人同住一房，希望透過有計畫的製造文化震撼，開啟學生們多元思考、相互包容的價值信念。

真正的大學生活，就是大學四年，無論上課還是下課，白天還是晚上，都泡在大學校園裡，過著百分百的大學生活，體驗大學裡提供的各種的設備與活動，像海綿一樣的盡情吸收，再根據自己的價值信念做出判斷，最後塑造成專屬於你自己的價值信念、思考方法與行為規則，成為一個獨立思考且兼具批判性的自主人。住宿生活可以讓人學會寬容異己，建立合宜的人我界線，懂得與自己性格不合者建立某種競合關係，反而有助於自己的成長茁壯。此一能力，對於出社會進入職場的幫助很大。在職場上難免會碰到自己不喜歡的人，住宿生活的經驗，可以幫助自己和不喜歡的人也建立最低限度的合作關係，不因為個人喜好而破壞工作進展與組織團結。

打造職場**軟實力**

- **多元包容力**
- **時間管理力**
- **自我管理力**
- **行程規劃力**

能力學習

職場，不是讓你交朋友的地方！

讓我們簡單想像一下：如果你是上司，真心的想和下屬當朋友，然而你不怕，友情讓你無法公正的對待每一個下屬。若因此還吃上包庇袒護的罪名，恐怕最後即便不被趕出職場，也升遷難望。

至於下屬想和上司結交，那更容易被視為狗腿馬屁精，為同事所不齒，暗中參你一本，抑或在可幫可不幫的忙上，落井下石，讓你負責的業務推展不順利，導致你雖有主管好友，但對方為顯示公正，也只好跟你說：「Business is Business」，公事公辦。

那麼，同樣職位階級的平行同事，總可以交朋友了吧？

錯了，和辦公室同儕結交，更是犯了大忌。要知道，你們彼此之間乃競合對手，爭的是日漸稀少的主管職缺。當朋友聽起來很感人，但未來某一個人升遷而另一個人沒有時，沒升上去那人心中那份醋勁，能讓你公平對待同事的升遷嗎？

至於升上去的那位，將來在職場行走，要如何處理這位「朋友」的私下請託而不駁了彼此的面子或情誼？

職場的運作邏輯：利當先，情無論

職場是謀利求名之場，小則追求個人薪水與升遷，大則替公司賣命辦事賺錢。人來人往盡是利字當頭，彼此間的關係既競爭又得合作，且瞬息萬變，哪能有永遠的朋友（當然也沒有永遠的敵人）？就像男人去夜店把妹，大多不會想娶回家是一樣的道理。

然而，不少職場求生術的書籍基於此點，堂而皇之的引入厚黑學，要上班族在職場心要黑、臉皮要厚、心機要重。「厚黑」聽起來很有道理，但其實是錯誤理解職場人際關係的動機、功能、目的，才會因愛不成轉為恨，端起厚黑學的架子，發展出扭曲的人際相處模式。

同事與朋友之間：動機與目的的差異，而非待人態度的差異

職場不是交朋友的地方，只因為主導職場中人際關係的核心原則是「利益」，而主導私人友朋交往的核心原則是「情感依賴」。你大可以在職場上拿出對待好朋友的那一套，真誠無私且樂於分享，但不能幻想因此而職場上的同事、廠商、上司、下屬便會變成你的「朋友」。

舉例來說，你可以在職場和某些同事無話不談，但談的最好僅限於公事，而不是把你個人的家庭人際糾紛端出來；你可以幫助需要幫助的同事，但不該以「對等交換論」為前提希望對方將來能夠投桃報李。

你不是不能以「朋友」關係中的正面價值：如真誠、分享、溝通，彼此幫助來對待同事。只是必須搞清楚，如此行的原因，是為了幫助組織運作順暢，讓公司能夠賺錢，進而幫助自己（同時能夠幫助同事自然最好）升遷加薪，而不是要將對方收編為自己的「朋友」，成為私人情感的依賴。部分上班族搞混了這點，對同事掏心掏肺，義無反顧，當成知己好友，最後卻不解對方為何不顧情面，還反踹你一腳？

是別人厚黑，還是你太天真？其實理由很簡單，因為你們身處職場，在職場這個社會場域中，爭取個人的升官加薪的優先順序大於和你之間的情誼，所以，當有機會踩著某人往上爬時，他不知道為何應該心軟？與其責怪對方無良，不如先反省自己是否太過天真？

當然，職場上認識的同事，有時候真的相當談得來，也不是絕對不能和他交朋友，但最好是你們其中一人已經離開了這個地方，沒有了利害關係衝突的可能性，還願意繼續聯絡，而且能發展出彼此的情感依賴時，方有成為朋友的可能。不要用「朋友」的心態看待職場的同事，對於和自己個性不合的同事，也能多一分寬容之心看待。畢竟職場是用來興利，而不是用來培養友情的地方。

人在職場，應該遵守主導職場運作的邏輯，不要將私人情感需求帶到職場裡去，希望在職場裡找到「死黨」、「換帖」，這樣做既不專業，也對不起付錢請你來上班的老闆。需要友情的慰藉的人，請到你原本的私人關係（例如同窗好友）去找，那才是王道。至於職場，就請好好和同事合作，創造對彼此最大的利潤。

7. 寒暑假，要規劃：唯有自律者才能得真自由

「寒暑假」兩個字，光是聽起來就令人心神愉悅！整整一、兩個月的時間，不用再靠鬧鐘強迫自己起床，撐著惺忪睡眼，拖著睡不飽的疲倦身子，揹著沉甸甸的書包上學，雖然還是要補習，也有暑假作業，不過，絕大多數的時間都是屬於我的，爸媽得上班去，就算想管，也是鞭長莫及。

我自己當學生的時候，有一大半的寒暑假也是如上述情況一般，毫無計畫，漫無目的，一天玩過一天，一天混過一天地過。直到上大學之後，我重新回想那些玩瘋了的寒暑假時光，竟然印象全無，不記得美好的寒暑假生活究竟都做了哪些事情！突然驚覺，原來我以為沒人管，可以睡到自然醒，瘋狂玩樂的寒暑假，其實是把大把的時間輕率地揮霍掉了！

難怪人家說，年輕就是本錢。因為本錢還太多，怎麼揮霍浪費都用不完，甚至恨不得能早點用完好脫離痛苦的學生生涯，完全不知珍惜，也不懂計畫，胡亂揮霍之餘卻也敗光了自己的寶貴青春。後來，我就

學乖了！寒暑假雖然不用上課、考試，也沒人逼我讀書，也沒有老師與父母在一旁碎念提醒，但我開始自己管理自己的暑假生活，替自己制定寒暑假計畫。

不過，畢竟是放假，沒必要非把寒暑假的每一天都排滿行程，而是替自己每一年的寒暑假設定一些目標，一些平日很想做但沒時間去做的事情，讓自己的寒暑假生活圍繞著目標去計畫與開展。

例如，大二升大三那年暑假，我決定好好的把金庸的十四部武俠小說讀過一遍，為此，我開始盤點自己的暑假，扣除參加教會營會、打工、社會服務，可以適度地與社會接觸，以學生的方式回饋社會；和朋友出去玩這是大學暑假行程最有趣的活動之一，之前往往在不同縣市的同學家玩，再算出每天得挪出多少時間來，才能在暑假讀完金庸。

雖然，最後沒能順利讀完十四部金庸，只讀了十部左右，不過主要的長篇全都讀完了，雖然一直到上大學才開始讀金庸，但總算是有了一點成果。經過大二暑假的金庸作戰計畫後，我發現，沒人幫自己排好行程的暑假，要活得充實有滋味，其實比有人管的上學日子還要困難。人都有相當嚴重的惰性，能打混摸魚時，絕對不想做事，自以為過得很爽，結果最後回頭看卻是一事無成。

「唯有自律者，才能得真自由」，想要不被管，得自己管理好自己。所謂的自由，不是沒有人管你，想幹什麼就幹什麼，而是自己管好自己，別人發現無須管你也能過得很好，就不多過問了。懂得按照自己的性格、能力和實際狀況，規劃出一套一定時間內能夠輕鬆完成需要完成的工作的進度，且徹底執行的人，才是真正活得白由且充實的人。

村上春樹說，他每天早上三四點就起來寫稿，寫到十點左右，就完成了一天的工作，下午則做點翻譯，晚上可以做自己想做的事情。不少世界級的暢銷作家都和村上春樹一樣，當別人還在睡覺時就已經起床工作，當別人要上班時已經完成了當日的工作，世人羨慕作家能夠自由自在的過日子，那是因為他們懂得安排自己的時間，每天規律的完成該做的事情。

我們崇拜的成功人士、成績頂尖的同學，其實也都是懂得自我管理的人，不需要別人操心，所以在工、課餘之暇可以去做自己想做的事情。或許那也是為什麼，雖有很多人抱怨上班痛苦，卻不敢跳出來自己開業或當SOHO，因為，被人管還是比自己管自己，來得輕鬆且容易活！挑戰一下自律生活。你會發現，經過安排計畫的生活，會活得比過往你以為的隨性散漫來得有滋味，而且自由！

打造職場軟實力

◆ **時間管理**

延伸閱讀

《時間管理成功術：腦科專家教你善用時間62招》——商周

能力學習

一天兩小時，人生大不同

如果一天給你兩小時，不管你要做甚麼都可以，想幹什麼就幹什麼，你會拿來看電視看到爽，每天看一部電影，上網，打電動，還是好好的讀本書……？總之，無論你想做什麼，這兩小時累積加乘的結果，將決定你爾後的人生。

一天兩小時，佔據一天的十二分之一。換句話說，一年就是一個月（730小時），十二年就是一年（8760小時），六十年就是五年（43800小時）。一個人人生中整整五年的時間，一直做同樣一件事情，根據一萬小時理論——想要成為專家，至少得花一萬小時的時間在該領域中有系統的學習，六十年間每天花兩個小時持之以恆的做一件事情，至少能成為四個領域的專家！

並不是說看電視、打電動不好喔，如果懂得有系統的找電視節目來看，練習打電玩成為電玩達人，也是經過持續反覆練習、累積出一種才能。怕的是，每天只是隨意揮霍兩個小時，例如像馬鈴薯沙發一樣隨便看電視，打電玩上網也只是無意義的隨性亂玩，毫無規劃，白白浪費了寶貴的生命不說，也白白葬送了自己的人生。

簡單的事情偶一為之不難，難的是持之以恆的做下去。例如，微笑，每個人都可以在適當的時候微笑，但是成為專業的，就得一直維持微笑，不能因為自己的喜怒哀樂情緒紛擾而笑不出來。

例如，寫作，每個人大抵都能寫出幾篇好文章，但要持之以恆每天寫出高品質的文章，需要的就是持之以恆的耐力。不少知名作家如村上春樹都在傳記裡提起，自己每天都要坐在書桌前，寫上三、四個小時，不管寫出來的是什麼，能不能賣錢，寫就對了。我常想村上春樹之所以每天花時間鍛鍊、慢跑，就是想訓練自己的寫作肌耐力。

俗話說得好，「十年磨一劍」，「台上十分鐘，台下十年工」，也有人說過，一件工作持續做上十年才能算得上出師，這一切都指向持之以恆對於成功的必要性。天底下沒有橫空出世的天才，一個人之所以成功必然付出了極大的努力，千里之行始於足下，想要人生有所得必須得先有所付出，每天花兩個小時的時間在自己想要鑽研的事物上，風雨無阻持之以恆的堅持下去。

持之以恆說難也不難，每天花兩個小時做一件事情，一直做，堅持十年以上，就算不能大成功，也一定能有小成就，更重要的是，自己的生命會因為持之以恆的不斷反覆練習某一件事情產生極大的變化，影響你的一生。

PART 4

戀愛這門功課，決定職場**挫折忍受力**

談戀愛，但卻不荒廢其他大學生活該做的事情，課業、社團與打工，除了約會的日子之外，該做什麼就去做什麼，不要為了戀人而放棄大學生活。戀愛可能分手失敗，可能再次邂逅，大學生活卻只有一次，如青春小鳥一去不返。無論單身還是戀愛中，請記住：愛別人前要先好好愛自己，你是寶貴而值得珍重的。

1. 大一大二，多交朋友，別急著談戀愛

雖然談戀愛的年紀是越來越小，但是，很多人還是上了大學才第一次談戀愛，或者是在大學時期確定未來人生伴侶的條件，認真地考慮和大學時期的異性朋友成為未來人生伴侶的可能性。戀愛雖然很美好，很多人也的確在大學裡邂逅人生伴侶。不過，最不建議的就是把四年寶貴的大學生活都拿來談戀愛。

「值不值得為了感情犧牲課業？」或者我們擴大來問，「值不值得為了感情犧牲大學生活的其他部分？」如果你仔細留意，總是有一些大學生，一上大學馬上就交了男／女朋友，大學四年都如膠似漆，除了彼此之外再沒有其他的同學，課業成績也是馬馬虎虎，社團從來不參加，彷彿與世隔絕。

要命的是，如此如膠似漆的戀愛，往往在大學生活結束後也跟著結束了，很少人在大學階段談的戀愛，最後會順利走入婚姻。彷彿大夢初醒般，發現自己的大學四年除了戀愛，其他什麼都沒有留下，而戀愛留下的卻只有一堆令人不堪忍受的回憶。

校園團契的輔導黃旭榮牧師就常常跟自己輔導的大學生說：「談戀愛，最好大三或大四再開始，不用太著急。」大一大二的時候，還是多享受大學生活，多把心力放在課業、社團或自我探索上。一進入大學之後，之所以會變得很急著想談戀愛，最大的原因是同儕壓力，加上很多學長姊出雙入對、恩愛甜蜜，令人羨慕。

大家都在談戀愛，我沒談戀愛，好像很遜，心思意念逐漸往戀愛傾斜。但是，大學生活其實不只有戀愛，甚至如果極端一點地說，大學生活有什麼可以割捨不要的話，就是戀愛。課業、社團和打工，都是離開大學後很難再有的人生體驗，唯有戀愛，生的哪一個階段都可以來談，並不一定要急著在大學裡談戀愛，更不用急著在還未定性的大一大二來談。大一大二時，不妨多花時間在系學會、校友會或社團生活上，透過大學提供的管道，多結交一些朋友。特別是原本對與異性相處較為彆扭不自在的人，更要多加練習，先從認識異性普通朋友開始，別急著找對象。

大學生活是很有趣的，雖然談戀愛也很美好，但是光只有談戀愛，那就太單調，也太浪費寶貴的大學歲月了！

先學著當一個有自信，讓人樂於接近，渴望結交的紳士／淑女吧！

打造職場軟實力

- **人際交往能力**
- **時間分配術**

延伸閱讀

鄧惠文《非常關係》——平安

能力學習

謹守女士優先，贏得異性緣

旅居歐美回台的朋友，逢人總是會隨口抱怨兩句台灣的交通亂象，甚至會有一陣子不敢開車上路。然而，還有一些不常被搬上檯面抱怨，但心理看了肯定覺得「卡卡」的文化差異，就是男女之間的應對進退。

在歐美，男人面對女士，無分老少胖瘦美醜，總是一派紳士風度，「女士優先」是絕對被奉行的真理，像是先行下車幫同車女士開車門、撐傘，禮貌性表示願意攙扶，讓路給女士先走。一對男女同進了餐廳，男士總會先替女士脫下外衣，先服務女士入座，自己再行就坐。並不是因為歐美人士奉行女士優先，就沒有性別歧視或兩性不平等。但是，歐美人士日常生活慣常奉行的「女士優先」文化，總是對女性的一份尊重。畢竟，沒有女人不喜歡被如此貼心的呵護、照顧，像「女士優先」的好文化舉止，能夠被引進台灣其實也不錯。我相信，一個奉行「女士優先」的社會，兩性間互動一定自然而少猜忌，因為男人從小就學會要懂得尊重女生，替女生服務，讓女生先行。

雖說，台灣並非歐美，沒有「女士優先」文化，知易行難，沒有這套文化習慣的男人不是拉不下臉奉行「女士優先」，就是心機太深，想得太多，有時是考慮到女方的身分、地位、年齡、高矮胖瘦美醜……等，錯過了最佳時機，做得不夠不自然，反而讓女伴認為你是刻意討好，別有居心。女士優先，是種對女性的尊重與禮貌，當你真心誠意的相信，男人生下來就該尊重、體貼女士，讓女士優先，就能做得像反射動作般自然不做作，對方也能感受到你的體貼與心意，無形中也能拉近彼此的距離。即便真的因為不熟練、想太多而出糗，也比完全不做來得好。只要出糗的時機對，男生可以趁機自曝其短，賣個破綻，自嘲一番，反而可以拉近男女雙方的距離，增加女生對你的好感，特別是剛開始約會或剛認識的男女來說。

當一個社會對於「女士優先」的觀念還不普及，大多數男人依然故我的信奉大男人主義，認為男人優先天經地義，女人就該跟在身後，忽略女伴的需要時，有男人願意信奉「女士優先」哲學，替自己的女伴開車門、撐傘、攙扶、開路、讓步，真的會讓女人打從心坎裡感覺到被體貼、呵護。

在一個還不懂得「女士優先」的社會，先開始奉行的男人絕對能贏得女性的好評與好感，替自己的人緣加分。特別是內向害羞的宅男們，想克服面對心儀女性時的心跳加劇嗎？不妨先學會一視同仁的尊重女性，不要以高矮胖瘦年紀美醜論斷女性。

當一個男人把尊重女性內化為人生守則時，不需要看準時機，也不用特別用心，自然而然就能實踐女士優先，和女性自然相處、互動，這樣的男人，還怕不能給女人留下好印象嗎？或怕不能有機會認識心儀的對象嗎？

2. 大三、大四，尋找志同道合的親密愛人

大三之後，在大學裡算是高年級生了，年齡上也跨過了法定成年人的年紀，也開始思考未來人生道路，心態上也較為成熟，知道自己未來的人生規劃與期許。此時開始認真考慮戀愛、交往的事情，可以更全面，更有責任感，更知道如何與對方一起規劃兩人的關係。

很少大學時代的戀情能夠修成正果，順利走入婚姻，原因在於，年輕時我們總想著體貼肉體的需要，戀愛就是渴望成天和戀人膩在一起，將世界拒絕在兩人世界之外，封閉起來談戀愛。大學的自由、自主環境，更讓人可以毫無顧忌的大談戀愛。

人生並非只有談戀愛一件事情該做，許多大學時代的戀情，最後結束在一方當兵、一方出社會工作（或一方出國留學一方留在台灣），畢業就分手，未必是地理時空環境的距離問題，更可能是兩人離開了大學校園，投入社會之後，發現對方並不是自己想要攜手共度一生的對象，分手變成了必然的選擇。

到了大學高年級再來選擇戀愛對象，會比較慎重的思考，未來人生是否要和對方一起度過！在尋找對象時，會更審慎的考慮，不會只是順從自己肉體的需求。

雖然說，這年頭戀愛態度開放許多，許多人只想趁年輕多拍拍散拖，多累積些戀愛經驗，但是，我想更多人談戀愛都是認真放感情，想要長長久久走下去的。想要長久，就得慎重，得等到自己性格和人生道路夠清楚時再來考慮戀愛對象，會比較妥當一些。

大一大二就好好的參與大學的群體生活，將重點放在多結交一些好朋友，多參與大學校園的活動，多花一些時間探詢自我，搞清楚自己是什麼樣的人，未來想從事什麼樣的工作……更多的認識自己，到了大三大四邂逅良緣時，也才比較有把握做出正確的判斷！

能力學習

愛情是怎麼產生的？

了解「愛情產生理論」，有助於檢視並判斷戀情的發展

一個人怎麼愛上另外一個人？是每個人都關心卻又認為不可能找到答案的問題。不過，學者瑞斯（Rice）在1993年，從精神分析理論的角度，提出了一些人在選擇對象時可能引以為參考的心理因素，試圖解釋人的愛戀行為。

1. 父母形象論

從佛洛伊德的戀父／戀母情結理論出發，認為人在挑選伴侶時，不自覺地會將自己的父親或母親的人格或外貌等特質當作標準來使用。

2. 理想伴侶論

人會以自己的童年經驗，在往後的日子裡不斷尋找初戀情人的身影，將初戀情人當作自己挑選理想標準的條件。

3. 需求理論

從馬斯洛的需求理論出發，認為人會選擇能夠滿足自己生理、心理、社會等各方面需求的人作為伴侶。簡單說就是要能吃得飽穿得暖、吃得好穿得好住得好，彼此能夠溝通，且站出去能夠體面。就算不能達到滿足的極大化，至少也要能夠有效降低生活中的各方面風險。

4. 互補需求理論

Robert Winch於1985年所提出的理論，認為人在選擇伴侶時，會選擇和自己性格或各方面條件需求相反而可以產生互補效果的人。

5. 刺激——價值——角色理論

由Murstein所提出，認為兩性關係的發展是彼此先產生了刺激（按照雙方的對彼此的吸引力，像是外表、性格、社會條件、相似或互補等）後，會開始對彼此的價值觀進行評估，最後再評估對方的行為與社會角色是否符合作為自己情人的標準，全都能通過才可能成為情人。

6. 交換理論

從經濟學的角度來看，人類選擇伴侶是為了換取到某些經濟或社會、文化資本，好提升自己的生活品質，保障自己的生活。兩性相處的滿意度取決於雙方對彼此交換能否順暢且互惠。

以學術理論解釋人的心理或行為最常發生的一個問題就是，太想以單一因素來解釋心理與行為的產生機制。其實戀愛的發生是「多元決定論」，有很多原因，上述六大理論雖然比較常見但也未必能窮盡，戀愛發生理論僅是一種參考，幫助自己認清戀愛產生時的心情想法，避免不必要的錯誤影響了自己，導致屢屢作出錯誤判斷而不自知。當我們越了解戀愛產生的心理因素，就越能自我檢驗，雖然愛的產生當下並非理性所能壓抑，但激情過後，至少能幫助自己客觀地檢視自己的愛情發生時的心理。

綜合以上各種戀愛產生理論，不難發現，好的兩性關係要能順利運轉，兩個人在一起必然要產生一加一大於二的增強效益，想要產生大於二的效果，彼此雙方要能互相了解、尊重、互相合作與幫助（互補），如此情況下發展的親密關係，才可能像上了潤滑油的齒輪越轉越順利。

3. 愛情不是全部：別為戀愛荒廢課業與大學生活

戀愛不是大學生活的全部（雖然最好也不要完全沒有）。認真準備好自己，機會來時莫膽怯，勇敢的迎上去，爭取自己的幸福。失敗了也不要覺得是世界末日，只是你們兩人不適合，你的良緣尚未到來。

正在談戀愛的人，不要把日子過得全世界只剩下你和你的戀人，再無其他人可以進入你的世界。只有兩個人封閉起來過日子的戀愛最後一定會失敗，健康且能長久的戀情，一定是能讓自己的親朋好友都共同參與的戀情。

談戀愛，但卻不荒廢其他大學生活該做的事情，課業、社團與打工，除了約會的日子之外，該做什麼就去做什麼，不要為了戀人而放棄大學生活。

戀愛可能分手失敗，可能再次邂逅，大學生活卻只有一次，如青春小鳥一去不復返。最重要的是，無論現在是單身還是戀愛中，你都該好好愛自己，你都是一樣寶貴而值得珍重的。

戀愛很好，單身也很棒，重點是你能否自愛自重，把日子過好，無論是一個人的狀態，還是兩個人的狀態。如果你談了戀愛就荒廢課業，斷絕與朋友往來，可能要好好思考這一段感情是否真的值得如此付出？

能力學習

單身好，還是戀愛好？

若有人問你，「究竟談戀愛（有伴）比較好，還是單身比較好？」你會怎麼回答？縱然有人真心認為單身比較好而回答單身，恐怕這樣的答案只會讓身邊的人更加為你擔心。

單身不是原罪

日本作家酒井順子的「敗犬論」，批判「只要有對象可結婚，就是成功幸福人生」的既定成見。香山理香就說，戀愛萬萬歲的戀愛至上論，其實並非人類自古以來就有的常態，而是1970年代以後，經濟逐漸富庶後的社會才出現的景況。

現代社會有一種「單身原罪」氣氛。社會普遍認為，結婚的人比未婚的人好，有伴侶的人比單身的人好。如果單身的話，積極找對象的人所獲得的評價，比不積極者高。情人節的時候，單身的人好像得了大痲瘋一樣，被社會隔離、拋棄。單身的人也自覺羞愧，盡量不出門，避免被「閃」到。

以「戀愛」評價人的社會

我們的社會對於戀愛的評價太高，以一個人是否擁有對象來評價一個人的好壞，誤以為有戀愛可談的我就是好的，單身的我就是不好的。

一個人很可能在工作上非常有貢獻，能替公司賺大錢，且能以其工作造福人群，但我們的社會往往因為這樣的一個人是單身而覺得他「怪怪的」。在有戀愛談就是好，沒戀愛談就是壞的二分邏輯下，人們會盡一切可能想辦法找戀愛談，好證明自己是有身價的好男人／女人。

我們的社會，在偶像劇、電影、情歌、言情小說等轟炸下，逐漸被洗腦，高舉愛情，認為戀愛是人生最美好的事情，單身的人都很可憐、可悲，腦中更埋下了無數奇怪的戲劇性羅曼蒂克情節。視戀愛為人生最重要的大事，甚至認為為了愛情而拋家棄子丟工作是件非常偉大的事情。

戀愛真的比單身好嗎？

戀愛真的比單身好嗎？恐怕未必！德蕾莎修女、聖嚴法師、達賴喇嘛……無數的偉人都是單身，而且樂於單身，甚至可以說因為這些人選擇單身，才能夠有更多的時間去成就了不起的事情。

撇開了不起的單身聖人不說，回到現實生活中來看好了。戀愛並非魔法，人並不會因為談了戀愛而出現大幅度的改變，也不會因此而提升一個人的價值。無論戀愛還是單身，都必須面對現實生活中出現的問題。工作上碰到的問題，不會因為你有對象就不找上你。

戀愛是人生中很重要的一件大事，但卻非唯一一件重要大事。人活著，不單是為了談戀愛（或結婚），社會生活中還有很多重要的事情等著你去完成。

愛情不是光靠努力就能成就的事情，它需要等待緣分，有時還需要些許的運氣。遇不到合適對象的時候，與其盲目的亂找對象，還不如好好充實自己，追求自己的事業成就，花時間陪伴家人與朋友，投入社會公益，把心思意念放在需要我們力量的人、事、物身上，讓自己成為一個樂意分享愛的人。

4. 挑情人，從觀察對方的原生家庭入手

相信很多人都想知道，自己挑到的情人，未來會不會一直對自己很好吧？沒人喜歡只有婚前大獻殷勤，婚後卻不理不睬，忌妒心強，甚至還會動手打人。其實，有個簡單的方法，可以了解你挑的情人，未來和你在生活中的互動情況。

情人的原生家庭告訴你

那就是觀察他的「原生家庭」。所謂「原生家庭」，是心理諮商輔導的專有名詞，指的是人們從出生開始所待的家庭，原生家庭是人們最初進行社會化，建立個人與社會互動模式的場所。人一生的主要思想與行為模式（特別是關於對待親密關係方面的態度、行為），幾乎都受原生家庭影響。

如果原生家庭不健康，從這個家庭長大的孩子，就算力求上進，在社會成就上能夠出人頭地，但在親密關係的處理上，還是容易出現問題。心理學者對於原生家庭影響個人行為，早已有共識。

拜訪、觀察、了解情人的原生家庭

因此，想知道自己所挑的情人，將來會怎麼對待自己，最好的辦法，就是拜訪他的原生家庭，觀察情人的父母互動的方式，以及父母對待子女的方式，就能了解情人將來和你結婚之後的互動方式，以及將來有了孩子之後會如何對待小孩。除了實際拜訪，親身觀察之外，平日也可以多在聊天中了解情人的成長過程，從情人的成長過程中，了解父母在他成長過程中的影響。

簡單說，會打孩子、另一半出氣的父母養育大的小孩，將來結婚後，會打孩子、另一半出氣的機率很大；夫妻吵架時會摔東西、吵架、發飆、抓狂的家庭長大的孩子，將來和另一半吵架時摔東西、吵架、發飆、抓狂的機率很大。

家庭悲劇是會複製的

單親家庭、高風險家庭、有家暴問題的家庭出身的子女，之所以容易被社會貼上負面標籤，被父母要求不要和這些家庭長大的孩子交往，有部分原因倒不是因為偏見而歧視，而是出身不健康家庭的孩子，從小在親密關係上容易有態度偏差，如果在成長過程中又沒有特別意識到自己的問題，並且積極處理的話，孩子長大很容易就會複製原生家庭的悲劇。

孩子在什麼都不懂，思想還是白紙一片的時候，父母要怎麼在白紙上畫，孩子都會乖乖的接受，下意識的接受這些態度和行為。

求助於專業機構

千萬不要鐵齒的自己騙自己，情人不會像他的父母。俗話說，有其父必有其子，家庭除了會遺傳好的基因、行為，壞的也經常一樣不留的遺傳給孩子；更不要相信情人對你的一再保證，因為情人可能只是為了追到你而哄你，再不然就是連他自己都不知道原生家庭的影響力。

千萬不要以為情人抱怨原生家庭出現的種種問題，就代表他將來不會做出同樣的行為。意識到原生家庭的問題不等於解決了原生家庭對自己的影響。除非受過心理諮商輔導方面的相關訓練，否則，一般人很難理解原生家庭對自己日後在親密關係上的影響程度。

當然，在此並非勸人分手。我想說的是，及早發現，及早治療。如果，你發現情人的原生家庭在處理親密關係的方式上有相當程度的偏差。例如父，母只會以打罵向孩子傳達愛意，這樣的人長大後，通常也只會以非常扭曲的方式向情人、孩子示愛，最好求助於專業的機構，像是找心理諮商，或者張老師，專業人員能夠具體而微的剖析情人的嚴重程度，並且對症下藥，輔導情人修正原生家庭在對其表達親密關係的偏差態度和行為。

如果能及早發現問題，及早求助，將可以避免家庭悲劇的再製循環，也算是對自己的戀愛、婚姻添一份保障。

5. 學習承受分手之痛，懂得處理挫折情緒

談戀愛，對今天的青年朋友們來說，已經不是什麼困難的事情。跟著自己的「感覺」走，喜歡就在一起，沒感覺了就分手。

然而，不知怎麼的，戀愛與分手變得再容易不過的今天，情殺的暴力案件卻也越來越多。

原來，瀟灑來去愛情的，只是「不愛了」，想離開的那一個人，另外一個還在「愛情」裡，傻傻地愛著對方，搞不清楚自己為何被拋下的人，並不能同樣地瀟灑結束。

不理解的憤恨，加上沒有說明解釋的不告而別，乃至於一派輕鬆不在乎，或者是過沒兩天竟然有了新戀情……種種「分手方式」，最後成了激怒還留在「愛情」裡不知所措的另外一個人。於是，不知道如何處理分手後的「挫折情緒」的另外一個人，便產生了報復、攻擊的舉動（心理學稱之為「挫折攻擊假說」，承受挫折者不知如何化解內心的情緒，遂決定消滅造成自己挫折的源頭）。

「分手是一門需要學習的人生功課」，不比微積分、高等統計、拉丁文來得簡單，因為分手牽扯到「心」。人的心是肉做的，會開心，同時也會難過，心的極限是，「我知道我為什麼難過，我告訴自己不要難過，可是我還是會難過」。

心就是會難過，需要一段時間來消化難過的情緒，接受理智上早已理解的事實。

最壞且不負責任的分手方式，就是一聲不吭，消失不見。現今有人以傳簡訊、Line告知自己「被分手」，都屬同一類。不給理由，不讓對方質問，不給對方機會或挽留，一意孤行，自以為瀟灑地結束親密關係，是不負責任的行為。

社會風氣開放的今日，有些人就算上了床，都不認為彼此是男女朋友，愛情之所以可貴，在於共同許下「承諾」，兩個人決定「在一起」。既然在一起是兩個人共同做的決定，愛情無法繼續時，也應該兩個人一起做出這個決定。想離開的人，有義務親口告訴另外一半自己的決定以及理由，或許會因此而大吵好幾架，對方無法諒解……但是，不能因為害怕必然會產生的衝突，就自動省略。

最近幾年，日本社會流行舉辦「離婚典禮」，找來當初參加婚禮的親友，召告天下，彼此協議離婚。雖然我不贊成離婚，但是，一對夫妻能夠舉行「離婚典禮」，想必已經相當徹底地討論過彼此決定結束關係的原因，和平地結束。

世界上沒有不會痛的分手方式，承受分手的痛苦，從痛苦中認清自己在失敗戀情中的錯誤，想辦法改進，不要再下一段戀情中重蹈覆轍，是人生必修的一門功課！別以為不愛了，轉身就走很瀟灑，其實是逃避面對戀愛時所產生的問題，那些問題當反映了一個人經營親密關係時所欠缺、不足的部分。

翹了分手這門課的代價是很高的，一個人若無法在分手過程中釐清感情的問題，只會將問題帶到下一段戀情中，不斷因為相同的錯誤而一再地結束感情。年輕時或許會覺得，能過多談幾段戀愛很讚很享受，等年過四十，朋友同學及當年分手的對象，紛紛成家立業生子，自己一個人卻還在情海中漂泊，繼續分手又戀愛又分手的日子，恐怕已經來不及！

失戀之後可以做與不能做的事情

	可以做的事	不能做的事情
1.	讀書	死纏爛打
2.	工作	跟蹤
3.	吃喝玩樂	報復
4.	旅行	傷害自己
5.	找朋友訴苦	馬上展開新戀情
6.	大哭	自甘墮落
7.	整理戀情	沉溺於菸酒毒品

8.	療傷&面對錯誤	流連夜店
9.	丟東西	打聽對方消息
10.	搬家	藕斷絲連
11.	換工作	變身單身公害，搶別人的男／女朋友
12.	寫作	逃避面對
13.	封鎖網路資訊	沉溺於過去的回憶之中
14.	愛自己	荒廢生活與工作
15.	享受一個人的生活	ONS（One Night Stand，一夜情）
16.	面對孤單	當假朋友
17.	規劃未來	要求退還禮物與金錢
18.	祝福彼此	拜拜、算命、找靈媒
19.	承受與面對失落	不再相信愛情
20.	放手	從此痛恨所有異性
21.	給別人機會	不愛自己
22.	尋找心靈慰藉	尋死

基本上，大學時代談戀愛，要學的事情只有兩件：一是透過戀愛，認識自己的性格與日後擇偶條件；二是處理伴隨失戀而來的挫折情緒，如何不讓失戀的負面情緒影響日常作息，荒廢學業。

這兩門功課學得好，出社會之後，才能夠一邊工作一邊找尋適合自己的人生伴侶，不會因為忙於工作而不知道如何尋找人生伴侶，或者為了尋找人生伴侶而荒廢工作。在學生時代，因為失戀受創而無心於工作，頂多課業被當掉或留級一年，出社會之後，如果因為失戀就荒廢工作，輕則被公司開除，重則害公司賠錢還得賠償公司損失，更別說耽誤自己的職涯發展。

該如何拿捏愛情與課業的這份學習，日後將會轉化為如何拿捏工作與愛情生活的平衡，唯有懂得平衡愛情與工作者，才能同時擁有美好的愛情與理想的工作，不因偏愛其中一方而荒廢了另一方的需求。

PART 5

打工，你知道是為了什麼嗎？

寒暑假，大學生們打工打得昏天暗地。我認為，與其選擇高薪工作，不如選擇自己的興趣、專業相關，或者將來有志投入的領域。或許賺的錢少一些，但卻可能讓自己學到很多花錢都學不到的經驗，而且還結交了一批很不錯的夥伴，將來在事業上可以互相提攜。

1. 認清打工的目的

打工，是大學生活佔比逐年增加的一門非正式課程，主要原因在於辦理助學貸款，經濟狀況不佳的大學生人數不斷增加（目前每學期約有100萬人次申辦助學貸款）。

有些人認為自己念了不喜歡的科系、大學又無法離開，又不願意重來，於是乾脆選擇逃離大學生活，整個人投入打工，至少打工能夠有實質的金錢收入，可以讓第一次離家獨立生活的大學生產生一種獨立自主，自己的人生自己決定的「錯覺」。

打工的好處當然不少，像是學習獨立，職場預先社會化，學習和社會人相處，建立人脈，了解自己未來的工作性向，減少經濟壓力，趁早開始財務規劃等等。

不過，除非你打的工非常特別，像是可以收一小時一千塊以上的家教費卻還是一堆家長排隊捧著錢請你，幫忙分析問卷或寫報告一次可以要價好幾萬，而且這些工作的確能夠和未來的職場／學術生涯連接，否則的話，還是不要過於沉溺在打工中。

現代社會裡或許有些打工收入很不錯，卻不長久。例如：時下很流行的找漂亮女大學生擔任外拍模特兒或者展場Show Girl，這些工讀收入的確比正職工作高很多，但是，這些打工價碼之所以高是有特殊條件的，只有其中的極少人將來能夠真正靠這一行吃飯，是否要整個人全部投入打工而荒廢自己的課業，必須詳細斟酌個人的情況。

台大張文亮教授說：「大學讀得好，好的工作和機會自然跟著來，讀不好的人才須擔心下一步該怎麼辦。」

從成本效益來分析，如果你只能打一小時109元的最低工資的工，也許對於經濟狀況不佳的同學來說，賺得足夠你生活開銷，也就夠了，不要荒廢課業，以免畢了業拿不出專業來找更好的工作，只能繼續打工。

上大學不是不能打工，而是要想清楚，自己為什麼要打工？為了賺取生活費，還是為了累積工作經驗？該找什麼樣的打工？是體力勞動工作，還是與自己專業領域相關的工作？每週要花多少時間在打工上？打工與課業以及其他大學生活課後活動的安排與規劃，該如何拿捏？

千萬不要繳一堆學費給大學，再跑去校外打一堆工，卻荒廢了學業，甚至還搞到課業被死當，被學校退學，得多念好幾年才能畢業。打工與課業之間的成本效益，真的要想清楚。如果真的對正式課程沒興趣，不缺錢的話，不妨多參加課後活動或社團活動，那裏能學到的東西，並不比打工少。

打造職場軟實力
◆預先社會化

能力學習

自傳履歷的寫作祕訣

根據人力銀行針對求職者進行的分析發現，有27%的社會新鮮人求職履歷不寫自傳，17.4%的自傳寫不到400字。

寫自傳成了社會新鮮人求職履歷的弱項，或許社會新鮮人覺得，自己一沒有工作經驗，二來該交代的學經歷背景在表列式的履歷中都寫過了，三來應徵的多半是基層工作，不知道自傳該寫些甚麼。似乎寫不寫自傳都無所謂，就選擇敷衍了事或者乾脆放棄不寫。當然，也不能排除是文字能力不好，為了藏拙所以不寫。

自傳是履歷中非常重要的一環，如果學經歷等條件都相同，企業主最後評判是否給面試機會的關鍵，就在自傳。寫自傳，其實一點都不難。就算沒有工作經驗的社會新鮮人，只要把握幾個重點，就能把自傳寫好。

第一、交代自己的出身、家庭背景、排行、求學歷程、性格、興趣、嗜好等表列式的履歷所無法展現的部分，特別是性格，越能夠透過自傳將自己的人格特質呈現給面試官了解，越能獲得面試官的青睞。

第二、交代自己過往的打工、社團、大學系學會等的工作經驗，特別是團隊合作的經驗，以及自己從過去的團隊合作經驗中所獲得的收穫，可挑一兩個故事簡單說明。

第三、交代和所應徵的工作內容相關的經驗。例如，應徵行銷企劃，就談談以前在學校社團，組織與推廣活動的經驗；應徵文字編輯，不妨談談自己編校刊或寫作方面的經驗；應徵書店店員則不妨談談自己對閱讀與書的經驗；應徵業務則不妨談談自己與人互動時所發生過的有趣小故事。

第四、交代自己的工作哲學，簡單說就是自己面對工作的態度，以及自己對於職涯發展的想法，夢想成為什麼樣的人，打算怎麼努力、學習等等。

自傳最忌諱的就是一體適用，無論應徵什麼工作，全都使用同一份自傳。雖然說自傳有很大一部份是可以重複使用（第一、二、四點），但還是有必須根據應徵工作性質而進行調整的部分（第三點）。

千萬別小看自傳對於求職的重要性，也別小看自己寫自傳的能力，審慎的面對自己的自傳，若是寫完真的沒把握，不知道寫得好不好，不妨找你的老師、學長姐或文字能力好的朋友幫你審閱、修改。就算是沒有工作經驗的社會新鮮人，只要掌握上述四點，以起承轉合的方式來撰寫自傳，每一點寫上個兩三百字，加起來輕鬆就能破八百字，立馬就贏過其他50%不寫自傳或自傳寫得稀稀落落的社會新鮮人，替自己贏得面試的機會。

2. 寒暑假打工要慎選

每逢寒暑假，就是在學青年的打工旺季。或許因為景氣差，工作不好找的關係，再加上不少師長和職場專家的提醒，都讓今天的在學青年迫不及待地想趁寒暑假投身職場打工。一方面賺下學期的學雜費與生活費，一方面累積工作經驗。

打工雖然可以累積工作經驗，但如果想要對自己未來畢業後的工作有直接幫助，要慎選工作。最好是自己未來出社會後想工作的領域，千萬不要隨便找到工作就去做，除非真的很缺錢（例如家中負債得自己扛生活費）。

如果還不知道自己未來想做什麼，至少找和目前所學科系領域相關的工作，充實自己的專業能力，增加未來出社會後求職面試的競爭力。再不然，到NGO團體擔任志工也不錯！

不要怕打工辛苦或賺錢少，年輕就是有本錢，可以熬夜，稍微透支體力沒關係，重要的是辛苦的工作能否讓你累積未來職場所需的關鍵戰鬥力。

如果可以累積未來自己想做的工作所需的經驗和人脈，縱然是沒有錢可拿的工作，都要想辦法去做。

如果不行，打工的錢再多都應該回絕，除非你需要錢。

時下一些年輕貌美條件好的女學生很流行當外拍或展場Show Girl，工作貌似比其他打工輕鬆且收入多。然而，除非懂得理財，且有自信在太年輕賺了很多錢不會迷失在金錢堆，否則不要輕言碰觸。

Easy Money Easy Go，錢來得太容易，去得也很容易，但價值觀卻在無形中扭曲了，扭曲了的工作態度未來就很難調整回來。

打工，千萬要慎選，金錢絕不是最首要考量，重要的是學習工作態度，了解職場的遊戲規則，累積自己的工作經驗，鍛鍊自己的能力，增加競爭力，賺錢從來不該是學生時代打工最重要的事情，否則，一但迷失於打工的世界，最後可能賠上學業，可就得不償失了。

3. 透過工讀經驗，探索個人職涯方向

記得考上研究所之後不久，因為家中經濟狀況「向下沉淪」，於是除了學校的助學金工讀外，我還利用課餘時間到外面打工。因為興趣是看書買書，有認識的學長學弟妹在書店打工，於是進了書店工讀。

一開始在明目書社（專賣簡體書）打工，後來又增加了唐山書店。前者斷斷續續做了好幾年，後者好像做了約莫一年。期間還有一段時間是兩邊重疊的打工，雖然辛苦，但卻學了很多。

書店打工並不如外界想像的浪漫。一般人以為在書店工作與書為伍，很有文化氣質。但其實在書店工作，忙起來的時候，早上要處理廠商進貨、點貨、上架，還要結帳處理雜務等等。到了下午、晚上，則還要處理退貨、補書，大部分時間都是從事體力勞動，搬著書在書店裡跑來跑去。就算守在櫃檯，人來人往的結帳、注意客人行徑、回答客人問題，能夠靜下心來悠閒看書的機會並不多。

在書店打工賺的錢並不多。去書店打工，與其說

是為了賺錢，不如說是學習。在書店學到很多學校不會教的東西，像是大量認識了人文類出版品，了解了經銷商、進退貨、折扣計算方式、訂貨、追書、調書，還可借書回家讀……還得以接觸一些次文化領域，像是冷門的音樂、獨立印行的詩集等等。有機會親眼看到一些名人作家。

在公館的書店，碰到教授名家來逛書店是常有的事情。店內許多客人都是熱愛書籍、飽覽群書的博學鴻儒。別以為蹲在地上看書的是什麼不起眼的失業中年男子，那可能是中研院的某某知名教授。出入書店的，無論是資深教授、中年教授、年輕助教、博士班與研究所學生、更年輕的知識青年，還有一些文藝界人士，冷門研究領域的專家，和尚尼姑，外國學人等等，簡直是廣義文化界的大觀園。光聽這群人的閒聊，就已經足夠長見識了。

當年打工的日子不算長，畢業之後，回頭再看一起在書店打工的朋友們各自的發展，發現有許多人繼續投入書店或出版相關工作，且都發展得很不錯。有的擔任書店總監；有的擔任書店店長；有的雖然也只是安於小店員，卻有人很想挖角。有的在文化性週報當執行主編，有的下鄉去當農夫，有的搞電影，有的搞音樂，有的搞藝術……既替這群人開心，又深覺當年能夠跟一群志同道合的人一起打工，許多人到如今都還有聯絡，建立起一條奇特的連帶。當年在書店裡一群年少輕狂看似不起眼工讀生，其實個個臥虎藏龍，潛力非凡。

都說打工是大學的必修學分，那麼更應該好好的修這門必修課，讓它成為你未來人生的助力。

4. 儲蓄與理財，是為了鍛鍊判斷力與鑑賞力

打工這件事情背後的目的無外乎賺錢與累積工作經驗，賺錢的問題，則又牽扯到金錢觀、儲蓄與理財。特別是當今世道不好，青年22K造成的青年貧窮化問題日漸嚴重，使得許多同學在校時已經為金錢問題感到焦慮，大學生打工的人數也屢創新高，打工超越社團生活與戀愛，成為大學生最重要的事情。

大學生熱衷打工，反映的是對金錢的焦慮與對未來的不安。渴望在出社會前就能賺錢、存錢，改善經濟狀況，擺脫學貸壓力，存下人生第一桶金。

說真的，儲蓄很簡單，就是不花錢，盡可能不花錢，除了活下去必須的開銷之外絕對不花錢，把多餘的錢都存下，一毛都不花就可以！《可不可以一年都不買？——365天零購物生活日記》（先覺）、《鹽寮淨土》（晨星）這類型的書籍，就是教人完全不花錢活下去的方法。

可是，絕大多數人做不到，世界很精采，很多美好的商品等著我們選購，我們就是體貼肉體的軟弱，

會想花錢滿足內心的慾望。我們生活在一個充滿物質慾望，再多金錢也買不完的世界裡。不但花錢買「活下去必須要用」的東西，也買讓我們「活得更好的」（想要）東西。

某種程度上來說，我們之所以揹高額學貸也要念大學，目的也是為了將來有張漂亮的文憑，可以找份高薪穩定的好工作。

許多人之所以無法儲蓄，是因為自己所賺得的微薄收入，還得應付各種各樣的開銷，滿足自己的口腹之慾，把自己打扮得漂漂亮亮，與朋友同事聯絡感情，甚至是不要落伍流行……太多地方需要花錢，偏偏收入太少。慾望無窮而金錢有限，是以坊間出現許多教人儲蓄與理財的達人。然而，就連出書教人存錢的達人中，也常搞錯了儲蓄的目的與價值，誤以為能夠越早存到越多錢，就越好。

台灣人不是窮，只是沒錢。因為大多數人都的財務分配方式都出了很大的問題，現金流被卡死，以至於生活無法動彈，一有風險就會壓垮生活。存錢當然是「儲蓄＆理財」的目的，也是讓人繼續想儲蓄下去的動力。然而，「儲蓄＆理財」的真正價值卻不只是為了讓自己可支配的貨幣數量增加，而是磨練自己的選擇與判斷能力。

「儲蓄＆理財」學的不是思考不花什麼錢？而是思考：要花什麼錢？把手上有限的貨幣使用在正確的地方，使其效能極大化，買到我們真正需要的東西，不碰不需要的東西。

在此一反覆操練的過程，逐漸琢磨出自己的鑑賞力、專業判斷力，再讓成長後的能力替自己賺取更多收入，邁入更高的階段，但是生活基本開銷卻維持在相同的水平，不因多賺而多花。好像巴菲特，雖然非常非常非常會賺錢，年薪卻仍然只有十萬美金，且安於以此份薪水過自己的尋常生活。

如果你的儲蓄逐漸增加但收入卻沒有成長，身為人的總和能力也不會跟著提升。很省很省的存很多錢去買房子是最蠢的事情，那些房子不值得你犧牲僅有一次的寶貴人生來換。

「儲蓄&理財」的重點從來都不只是貨幣數量的累積，因為貨幣是建立在對國家的信任基礎上才能成立的狀態。如果你只學會存錢卻不懂如何自我投資，就算存了一千萬卻碰上國家經濟瓦解，那一千萬也只是一堆白紙。

「儲蓄&理財」的過程中真正要鍛鍊培養的，是造成貨幣數量的成功累積背後的那些價值判斷的準則，並且把這套準則應用到日常生活的其他領域，讓生活不斷向上提升，那才是儲蓄真正的目的與價值。

除了金錢，也別忘了儲蓄時間

人生，最重要的資本其實不是錢，而是時間。上天對每一個人都很公平的事情只有兩件，一是死亡，二是每個人每一天都是二十四小時。

如果，現在的你收入微薄，無論如何都無法省下錢來儲蓄，那麼，不妨學習節省時間，善用零碎時間，如通勤時間、午休時間、下班後的閒暇時間……將零碎時間用來自我提升，或者投入開源計畫，或安排自我進修的計畫，提升自己的競爭力，幫助自己在不久的將來能夠換一個收入高一點的工作，好展開自己的儲蓄與理財計畫。

打造職場軟實力

- 財務規劃力
- 預見力

延伸閱讀

《年紀輕輕，也能存到一百萬》——八方

能力學習

如何活用大學軟硬體設備

1. 多多使用圖書館

除了課業需求的借書之外，不妨利用學校的圖書館，像是空堂時間到圖書館閱讀報刊雜誌，每天／週借幾本自己有興趣的書讀，最好涉獵和學業專科完全不同領域的作品。

大一上學期參加完迎新宿營後，因為腳踝受傷，好一陣子只能拄拐杖，不能離開宿舍到處趴趴走，只好每天下課後到圖書館借書回宿舍讀，一開始只是打發時間的亂讀書，卻從此深深地迷上了閱讀。什麼都讀，從000到999，只要有興趣的書，我就借回宿舍看，還寫了一大箱的筆記。

利用大學圖書館，建立定期借書的習慣，訓練自己，將閱讀內化為生活中的一部分，大學是人生唯一一段可以大量閱讀而不受任何外務打擾的寶貴時間，所學所讀也將成為未來面對世界的基礎。

多使用圖書館，也是賺回學費的好方法。上圖書館借書，每借一本書，我就當省下買一本書的錢。若中文書籍一本平均300元，那麼只要我一學期能借個一百本，就等於省了30000塊的買書錢。如果外文好或唸外文系的，借外文書賺更多了，一本外文原版書動輒破千（精裝版甚至要三四千），借十本回來看就等於賺了一萬元，不就把大部份的學費都賺回來了嘛？

網路時代，或許上網Google就能找到絕大多數知識，但是，網路上的知識是零碎而片斷化，若沒有一個清楚明確的思考框架、問題意識，根本無從判別網路上找到的資訊之真偽。

圖書館提供的圖書陳列架構，展現了某種知識分類的架構。在其中穿梭久了，人會發現自己的閱讀與學識偏好，且慢慢建構出屬於自己的思考框架，對於日後解決碰到的問題、判斷資訊真偽，真的很有幫助。

此外，就算不借書、不看書，安靜的圖書館也是閱讀報章雜誌期刊的好去處，有舒適的座椅、空調，還有帥哥美女可以欣賞，是一個既能增加知識又能休閒的理想空間。

會不會使用圖書館，將決定你大學四年的學習成效！

2. 公告學生事務的行政中心、系所辦公室

因為大學時代擔任社團行政幹部的關係，每週總有好幾次得出入學校的行政大樓，有時候剛好社團指導老師在忙，只好自己隨處逛逛，看看行政中心的公告，發現還真的有不少好東西。

除了各式各樣的獎學金與交換學生計畫，還有其他像是演講、工讀或課程公告，出租資訊等等，平日應該多留意系辦或學務處的公告資料，雖說如今這些公告都會上網，且很貼心地想辦法讓同學知道，但不少人恐怕照樣視而不見，別錯過了原本屬於你的權利。

3. 學生／社團活動中心（社團大樓）

社團大樓是大學社團生活的重心，是每一個大學生都應該充分利用的場所，除了學生宿舍之外，社團大樓（學生／社團活動中心）大概是最能彰顯大學自主性的另外一個場所。

以前讀書時，有事沒事就會繞到社團大樓晃晃，除了上自己社團的社辦坐坐，寫寫留言本，和碰巧在那邊鬼混的同儕閒聊天，偶爾也會跑去逛其他社團的辦公室，看看大家都

在做什麼。我發現，社團大樓裡，隨時有人在活動，或練習才藝，或群聚閒聊，或開會討論……充滿生命力！

4. 學生輔導中心

別以為是精神狀況有問題的學生才需要輔導中心，其實大學的輔導中心提供很多寶貴的資訊，像是幫助學生認識自己的性向或人格，幫助學生尋找未來出路，給予找工作的建議，或者其他生活上或情感上的輔助，輔導中心都能給予很不錯的建議。另外，輔導中心每學期也會舉辦很多演講活動，挑自己有興趣的演講，長期而持續的聽演講，甚至認識演講人，對於往後人脈開拓也很有幫助。

聽演講是最快吸收一個人的知識精華的方法。大學裡幾乎每天都有研討會和演講可以參加，找一些自己有興趣的演講參與，聽演講是以最快的時間吸收演講者的專業知識的方法，還能和演講者實際互動，有時候還能有免費贈品或便當可拿，好處不少。

曾經有一位上過我的課的學生，就很擅長以聽演講的方式吸收新知，就算是高額付費演講，她也總是存錢去參加，認識演講人，直接向他們請益人生哲學、處世態度、做事與學習方法。年紀輕輕的她，已經是旅遊領域的專門演講人，邀約不斷，還是學校的特約講師。

5. 保健中心

生病的時候，不妨先到學校的保健中心求診，特別是有醫學系或附設醫院的大學，保健中心的醫生多從附屬醫院派來，不會比一般醫院差，但費用卻比較便宜。另外，如若受傷需要出借輔具（如輪椅、拐杖等），學校保健中心也有。

6. 多用學校的體育設備，鍛鍊強健體魄

對比於每年收費昂貴的健身房，大學的重量訓練中心和游泳池的收費，簡直便宜得令人發笑。大學裡多半有溫水游泳池，憑學生證可以免費或僅收低廉清潔費就可入場使用，游泳池附近也還會有重量訓練器材，有時候豪華起來遠超過年費昂貴的健身中心，如果能善加利用，不但可以省下一大筆錢還能換得勇健的體魄。

以前在學校讀書時，每年我都辦游泳證，下午空堂或晚上沒事，就跑去游泳，就算不是特別想游，就是泡泡水也很好，還可以看看漂亮的女同學。另外，各式球場、體育場，也都是十分寶貴的資源，每周替自己固定排幾個運動時間，趁著大學時代養成運動習慣，鍛鍊強健體魄，是日後出社會與人競爭的重要資本。

7. 網路很方便，視聽中心很齊全且享受

大學的視聽中心多半藏有許多名人演講的錄影錄音帶，世界經典電影、音樂會、卡

通、演唱、演奏會表演時況等影音資料。利用空堂時間，每周安排幾趟電影、音樂欣賞活動，把一些經典名片給看了，聆聽一些知名人士的專題演講。可以增進知識，還可以累積文化品味。

我大一大二時，幾乎每天都到視聽中心報到，利用視聽室看完了不少好萊塢經典大片，還有法國新浪潮導演英格瑪褒曼的電影，還看了當時最愛的「銀河英雄傳說」動畫版，三大男高音的現場演唱等等，累積了基礎的影視知識。

文化品味，是出社會後非常重要的職場軟實力。當兩個人的專業能力不相上下時，公司會提拔具有高文化品味的人。不少老闆賺錢後都讓自己的孩子學音樂或美術，自己更是大舉收購藝術品，出入並贊助藝文活動，可見一斑。

大學是一個人累積文化品味最關鍵的四年，大學四年有很多時間可以欣賞電影、聆聽演講，參加文化藝術活動，培養自己的美學涵養。年紀越大，越能感受到美學力在職場的重要性。

8. 電腦中心&上網

到電腦中心，除了上網、寫作業，還可以交朋友，更多了解一些電腦資訊方面的專門知識。網路之於大學生，感覺好像快變成髒東西了，多半被貼上負面標籤，像是大學生上網抄作業，無禮的把自己的作業丟給某個陌生人要求幫忙寫，在網路上打電玩、聊天、鬼混，不務正業等等。

大學生之所以網路成癮，很大一個原因是許多人都是上了大學之後，才能不被限制地自由使用網路，難免迷失於浩瀚的網路世界。網路絕不只是拿來抄作業、交朋友、打電動或鬼混的地方。懂得善用網路，它就能幫助自己跳脫學校的框架限制、蒐集並交換全世界學生的資訊。

如果你覺得自己待的學校或科系不夠好，何妨透過網路找到更多更有用的資訊自我充實？現在許多大學及教授都將自己全部的課程大綱甚至內容上傳網路，也能透夠過部落格或學校提供的Email和學者、教授互動、聯絡。只要有心學習，透過網路，全世界的大學和教授都能成為你的老師和學習資源。

大學生活，沒有標準答案

大學生活怎麼規劃與如何學習的背後，其實說的是一個人怎麼建構自己的人生觀、價值觀的過程。千萬別小看你的大學生活，你怎麼安排與修習大學課業與課後活動的學分，說明你想成為怎樣的一個人。

除了課業社團打工戀愛四大學分之外，其他像時間管理（四大學分的時間分配，空堂時間的利用等等）、國際觀與美學風格的培養、住宿生活（團體生活與自我規訓）、同儕相處、專業倫理與品格教育、考研究所或國家考試、出國留學、找工作等等、也都是大學生活必修的重要功課，若能花時間好好思考這些事情在你的大學與人生中的定位，利用做研究的態度面對這些問題，就能找出最適合自己的答案，建構最理想的大學生活。

孫中興教授說，「一天就只有二十四小時，你想怎麼分配就端看你想去完成什麼。若想與人交際，就走出戶外，反之你就可以選擇獨自在家。這並不是很難的事。以讀大學時的我來說，我設定自己能夠在大學找到終生的伴侶，於是我在畢冊上寫了『情感理智，兩個世界，一場混亂，一片空白』，而我後來也以能懂得這句話的女生來做為選擇女友的標準。簡言之，我希望你們能夠自己去分配自己的時間，因為這種事本來就沒有絕對準則的。」

台大獸醫系教授劉振軒認為，「同學要正視自己的實力也可以畫一個十字，在四個象限分別寫上S（strength）、W（weakness）、O（opportunity）、T（threat）來分析自己的強項、弱點、機會及外界的威脅。」

不妨去輔導中心，做份性向測驗，了解自己的人格特質的強項和弱點。再不然，坐下來好好的思考，問自己，離開大學之後，自己四十歲的時候，究竟希望過上什麼樣的人生？做甚麼樣的工作？住在哪裡？另一半是甚麼樣子？

透過SWOT分析或性向測驗，能幫助了解自己，規劃未來的人生藍圖，進而了解大學生活自己該怎麼安排！

了解自己，找出自己的偏好，按此規劃自己的大學生活，做自己喜歡做的事情。趁著大一、大二的時候，多花點時間自我探索，了解自己的性向與興趣，確定自己的人生意向是很有必要的。進入大三大四，則開始累積朝這些方向發展所需的基本工夫，為了將來做準備。

享受你的大學生活，不是要你自由隨性的鬼混四年，而是多方蒐集整理資料，規劃一個充實的大學生活，讓自己在其中快樂學習，努力成長。

或許，大學生們可以把大學生活當作一個為期四年的研究議題，參考學者教授或學長姊們的經驗，再斟酌自己的狀況，好好的想一想該怎麼解這個題目，替你的大學生活找到最好最適合的答案吧！

每一學期的大學，你都應該替自己設定一個目標和生活主軸，根據目標來安排規劃自己的生活，不要浪費寶貴的四年，擬訂一份養成專業知識和人格的自我成長計畫。

不同的人，大學生活就該有的不同的規劃，大學四學分的比重（時間管理）就該有所調整。說穿了，沒有甚麼樣的大學生活才是最好的。大學生活沒有標準答案，端視每個人性向與生涯規劃而定。

想當教授學者，想儘早通過上國考，想進入好公司，想出國留學，想自己創業，想安穩找份工作，想找到人生伴侶……不同的人在大學裡有不同的需求。大學最好的一點是兼容並蓄，不管你抱著甚麼樣的目的來到此，只要找對方法，四年大學生活的點點滴滴，將成為你累積日後出社會所需專業能力與打造職場軟實力的最佳場所。

當學生是有很多好處的。大學生活最寶貴的是「容許犯錯」。因為還是學生，還在學習，但又足夠成熟到可以進入社會鍛鍊一下，於是社會抱著接納的態度讓大學生進入，在這裡嘗試展現在學校所學到的一切。即便犯錯不成熟，還是會被包容與接納，甚至還能獲得指導，然後從錯誤中成長。一但畢業，出社會、進入職場，就沒有這種優待了，就要和其他社會人站在同樣的基準點上決勝負了。

PART 6

畢業進入職場前後五年，**決定你的一生**

出社會後的學習，是解決問題的學習，是學以致用的學習，是求生存或改善生活環境的學習，是遠比在學校時為了應付考試而學習來得重要得多的學習，所以應該比在學校讀書的時候更認真，更努力才對。只可惜很多人輕忽怠慢了，以至於落後於其他人而不自知，不知不覺中被殘酷的就業市場給淘汰，甚至連自己怎麼輸掉都不知道。

1. 離開學校後，更需要認真讀書

填鴨考試的升學壓力太過令人憎恨，不少人畢業離開學校後，就順手把讀書習慣給拋棄了，雜讀閒書雜誌或漫畫或許還可以，但是，應該沒什麼人還會持續讀書時代寫報告作專題才需要的主題式、系統性閱讀。

主題式、系統式閱讀是現代社會生活最重要的讀書方法。我們生活在靠搜集、整理資訊並作出判斷的資訊，不懂讀書方法，不知道如何累積知識學問，面對複雜浩瀚的資訊，似是而非的各種觀念，不知道如何作出正確判斷的話，將難以在職場上求生存（更別說發達成功）。

日本諾貝爾文學獎得主大江健三郎，每三年會投入一個主題之中，認真閱讀並學習，而他五十餘年來的豐碩寫作成就，就是靠著三年一期的主題、系統閱讀的學習累積而成。日本趨勢大師大前研一也說過，懂得思考的技術的人的年收入將是不懂者的一萬倍，而累積思考技術的基礎功夫之一就是大量閱讀。

生活在現代社會，靠出賣肉體勞力換取的收入是非常微薄的，像是周末在大街小巷舉廣告看板或發廣告傳單的臨時工讀，只能領取法律規定保障的最低時薪。當然這些工作對社會也很有貢獻，靠勞力換取收入也不是可恥的事情，但同樣是出賣時間，在現代資本主義社會，靠人人都能提供的勞力所換取到的收入，比起不是人人都能提供的專門知識所換到的收入，就是要來得低，而專門知識的累積靠著是讀書，文憑只是入行的入場券，一些需要大量學習以維持專業之事的行業（例如醫生），讀書學習的能力，才是決定職涯發展勝敗的關鍵。

我們生活在一個靠讀書、學習，累積專業知識以換取高薪收入的社會環境中，雖然每個人因為興趣和能力的不同，有些人還是樂於選擇以出租勞力賺取勉強可以餬口的收入為滿足，但大多數人應該會想靠著出租專門知識，盡可能的賺取高額收入，以改善生活環境，甚至行有餘力而可以幫助其他有所缺乏的人。

簡單來說，越會讀書，越懂得透過閱讀學習掌握最新的專門知識，且能從中提煉出自己工作所需的部分加以實際應用的人，越能在這個競爭激烈的社會中出人頭地。

人脈經營雖然也很重要，但無論哪一行，歸根究底最後還是得靠讀書學習所累積的知識品質來決勝負。舉個簡單的例子，兩個同樣擁有豐厚人脈的業務員，一個熟知自己所販售的產品的相關知識，一個只是一知半解，正常的情況下，客戶當然會向熟知專門知識的那位業務員購買產品！

真的，在學期間的讀書學習，不過是學點知識的皮毛基礎，能搞懂做學問與解決問題的方法已經很棒了。從學校畢業後進入職場後的讀書學習，才是人生真正開始深耕讀書學習的時候。

讀書一點都不難，認真學習就能有所回報，甚至可以說是所有工作中最輕鬆的一種，只要能夠持之以恆的堅持閱讀，你有興趣，或與工作有關的主題書刊雜誌報紙網站，就能累積出別人難以取代的專業能力。

出社會後的學習，是解決問題的學習，是學以致用的學習，是求生存或改善生活環境的學習，是遠比在學校時為了應付考試而學習來得重要得多的學習，所以應該比在學校讀書的時候更認真，更努力才對。只可惜很多人輕忽怠慢了，以至於落後於其他人而不自知，且不知不覺中因此被殘酷的就業市場給淘汰了，甚至連自己怎麼輸掉都不知道。

生活在這個靠資訊與知識爭勝負的資本主義社會，除非你家財萬貫不愁吃穿，除非你天生英才不用讀書也能無所不知，否則想要替自己贏得比較好的物質生活環境和工作的話，還是主動培養讀書學習的習慣，把讀書學習當作日常生活中的頭等大事慎重對待比較好。

2. 強大實力的根基，來自基礎工作的扎實鍛鍊

如果有個人說，要教你「中國功夫」，可是，每天的練習，卻只是穿、脫、掛、撿外套，風雨無阻，反覆如此，你會覺得這個人是在整你，抑或其實他是個瘋子？成龍和威爾史密斯之子傑登史密斯聯手主演的《功夫夢》，就是如此。此片是改編自《小子難纏》，當傑登史密斯被一群練武的孩子欺負，被成龍出面制止後，成龍決定傳授傑登中國功夫，接著就是在他家院子裡打了一根木頭樁，然後，要傑登反覆練習穿、脫、掛、撿外套，風雨無阻。

我們當然知道，成龍是透過日常生活中看似無意義的動作，來傳授功夫中的基本攻防招數，就像《小子難纏》裡，男主角被要求幫教他空手道的師父家的圍牆油漆，而且只能以師傅指定的動作來漆，目的都是為了讓主角將功夫中最基本的攻防招數內化到身體的血肉靈魂裡，成為自然反射動作。

其實，工作、讀書、運動，又何嘗不是如此？

當我們躍躍欲試於某項工作時，總是「幻想」先

行，卻忽略了工作中最根本的基礎，只想著要完成工作裡的重點項目，然而，工作之所以能夠扎實地完成，靠的卻是不為外人所知的微小細節的反覆操練、累積而得的實力之發揮。就像學武之人得先練好攻防基本動作，學數學得先將四則運算爛熟於胸，打籃球得先練好運球，打高爾夫要先練好揮杆。

據說，水手隊的鈴木一郎，每天都要揮棒一千次，且左右手各五百次，至今仍然如此貫徹著。原因無他，偉大工作的成就在於最細節的基礎功夫的扎實鍛鍊，實力是來自基本功夫的扎實累積，而非貌似花俏誘人的那些成果表現。

上班族想在職場上出人頭地，也是一樣的道理，若是連最基礎的行政、打雜工作都做不好，或甚至根本逃避不想做，又怎麼做得好更大的項目？

看似微不足道的工作項目，如影印、訂便當、借場地、打電話……等，就像是棒球選手練揮棒、學武之人練馬步、籃球選手練運球一樣，是練出一身絕世武功所必須且不能荒廢的基礎之中的基礎，基礎是重中之重，正所謂萬丈高樓平地起，輕忽基礎而好高騖遠者，永遠難成大事。

3. 為工作找樂趣，不再那麼枯燥無聊

世界上沒有輕鬆愉快的工作，只有快樂工作的人。

——千田琢哉

朋友小綠每個月的例行工作當中，有一項讓她覺得很受不了，那就是上網Google老闆交給她的資料，除了核對資料的出處是否有問題，還要找一些適合的圖片來搭配。一開始小綠私底下抱怨連連，此一工作非常繁瑣，非常花時間，而且枯燥、無聊，只是一直輸入資料進行搜尋，令人窒息。

沒想到過幾個月之後，有一天小綠突然說，「我發現上網查資料、找圖片也挺有趣的」，可以逛到各式各樣以前根本不可能會想去逛的網站，學到了許多原本不知道的知識，瀏覽許多非常有趣的圖片。

此外，小綠自己還在電腦裡做了替照片分類的檔案夾，把照片分門別類存檔起來，感覺上好像在建構某種資料庫，以後再碰到同樣主題的資料，只要到自己的資料庫去找圖來配就可以，替自己省下不少時間。

當小綠打開了眼界，不再只把老闆交代的工作當

成工作，更認真地思考這些工作對自己還能有什麼附加價值時，許多有趣的想法跳出來了，讓工作更省力的做法也浮現了，還讓小綠看見了原本令他感到枯燥無聊的工作背後更開闊的世界，提升小綠對工作的熱誠。

如今小綠雖然還是口頭上會抱怨查找資料很花時間，卻已經不像剛開始那麼討厭這份工作，甚至還有點興奮，不知道這一次又會在網路上邂逅哪些有趣的資訊與圖片。都說心態決定際遇、成敗，小綠的故事正是最好例子。同樣一件工作，只因為處理時的態度不同，結果也截然不同。

職場環境的好壞，工作的有趣與否，往往不是我們可以決定的，大多數人只是服從命令去執行任務。與其去抱怨環境，還不如試著融入環境。

當年嚴長壽被美國運通派到美國參加經理人大會時，一開始他也很痛苦，因為晚宴時大家都在聊天，他想多和其他人談談工作上的問題卻被婉拒了。後來他決定改換心態，試著去了解其他人聊天的內容，找來相關資訊閱讀消化吸收，設法融入對方的談話，後來便順利和大家打成一片，還當選十大傑出經理人。

雖然我們都應該避免以個人主觀好惡去判斷職務的重要性，但人性難免軟弱，就是會討厭某些工作而喜歡另外一些工作。職場從來不是公平的，難免得分配到自己覺得無趣的工作，與其邊埋怨邊做，不妨學學小綠，改換心態，試著在看似討厭枯燥無聊的工作中去發掘看看有沒有過去自己沒發現的有趣之事，或許工作就沒那麼令人討厭，千田琢哉說：「對公司內部無聊透頂的常規工作，也能樂在其中，才是真正的實力派。」

4. 不喜歡的工作就不做的話……

每年在職場上，總會碰到一些頂著高學歷光環的社會新鮮人，無法適應辦公室生活。這些社會新鮮人不是工作能力不夠，也不是專業素養不足，而是對工作的認知態度不太正確，認為自己有能力有才情，公司應該盡快指派能夠令其發揮專長的工作給他，好讓他能盡快替公司賺錢，無意識的自我中心，加上對自己過度自信，使這類型的社會新鮮人，不屑於處理日常工作中某些打雜的行政瑣事，更別說替買同事買買便當、泡泡茶。

說恃才傲物是不至於，只是高學歷的社會新鮮人，多半在進入社會之前，一切都很順遂，都順著自己的人生規劃而走，讀第一志願，拿書卷獎，永遠名列前茅，沒經歷過什麼失敗。於是，出了社會以後，自然而然地認為，在職場上工作也是如此，工作就是發揮自己的專長，做自己想做的事情，工作就是努力追求完成自己心目中的理想，忘了職場工作是需要和組織裡其他的同事配搭、協商，互助合作，彼此幫忙，共同利用有限資源來完成的。

或許是勵志書、成功學裡太過強調實現自我的理想和願景，讓人誤以為，工作，只要朝著自己所設定的目標前進，做自己想做的事情就好，其他的事情都不用管。

然而，工作在實際日常生活裡，不光是實踐理想、願景，它首先必須是個人出賣勞動力換取生活溫飽，因此，不可能總是做自己喜歡做的事情。例如，認為自己的專長在於企劃提案，於是不願意碰其他企劃提案以外的工作者，是沒辦法在辦公室裡順利存活下來的，在還沒能拿到和企劃提案有關的工作之前，很可能就被公司刷掉了，這也是為何大企業在錄取了社會新鮮人後，願意花時間，使其在不同部門之間學習，為的就是找到最合適人才落腳之地，絕對不會錄用了一個人，就貿然委以重任，而是會先給予瑣碎的行政雜事，考驗其工作態度和脾氣。

光做自己喜歡做的事那不叫工作，只要是在公司組織裡，和同事一起搭配的工作，就一定會碰到自己不喜歡不想做但又非做不可的事情的時候。那些認為碰到和自己理想、願景無關，或者自己不喜歡的工作就不做的社會新鮮人，或許以為，這樣的想法是堅持在自己的道路上，但其實，不能做自己不喜歡的工作的人，根本稱不上專業，也無法鍛鍊所需的工作技能、態度和累積實力，將來真的碰到喜歡的工作時，也無法順利完成的。

特別是當你所厭惡，不喜歡的工作，是直屬上司要求你去做，而你卻不喜歡做的工作。

每個人都有優缺點，但卻無法正確評價自己的優缺點。上司的工作，就是挖掘每個部屬的才能，將優點極大化，並利用一些工作磨去可能危及此人職涯的缺點。所以，好的上司一定會不通人情，要求部屬去做一些他不喜歡的工作，目的在於透過這些「討厭的」工作，磨去社會新鮮人過度的自信與傲氣，學習放下身段，認清工作除了專業以外，還必須擁有的「職場品格」，與他人協商合作，壓抑自己的真實個性，處理自己不喜歡的工作，展現專業，厚實基礎，為將來的可能性作準備。

其實，有機會做不喜歡做的事情是種福氣。當然，這不是要人永遠待在自己不喜歡的工作裡，最理想的狀態，是逐漸增加自己喜歡工作的比例，一來能磨掉自己看不見的缺點；二來能夠多培養一些專業技能，增加競爭力與附加價值；三則學會融入辦公室運作邏輯。政通人和，遠比能力高強來得重要，而這也是社會新鮮人或者有能力者最常犯的錯：把工作看得比團隊重要得多。創造職場好人氣、好名聲，讓公司主管能夠信賴你，想要依賴你。願意做自己不喜歡的事情，才是早日接近自己理想工作的途徑。

5. 挑工作——選你所愛，愛你所選

不少人誤會了「工作應該挑自己喜歡的做」這句話的意思，在公司裡碰到不喜歡的工作，就推辭不想碰，甚至有些年輕人，就此不告而別，悄悄離開了公司，著實令主管啼笑皆非。「工作應該挑自己喜歡的做」，指的是在選擇工作之前，先確定是自己想做的產業、公司、職務，不要因為薪水、社會輿論或家人朋友的意見而選擇了自己不喜歡的工作。

一旦進入職場，在公司裡擔負起某個職位或工作之後，就不可以再根據自己的主觀好惡，去挑選工作內容，只要是和該工作有關的所有工作內容，無論喜歡與否，都要全部承接下來，且盡力做到最好。

職場成功學與企業管理叢書非常強調「願景」，提醒人們一定要先設定願景，再根據願景擬定執行策略。不過，「願景」論經常都被描寫得太美好，讓人不自覺地誤以為只要是根據自己的「願景」所挑選的工作，就不會碰上惱人的雜務，或者自己不喜歡的工作。

有一點很重要，一個人即便選擇的是自己喜歡的工作，也一定會在這份工作中碰到不喜歡、不想做，令人討厭與不堪的工作內容。差別在於，有願景的人知道撐過這些工作中令人不愉快的部分可以達成自己的目標，沒有願景的人則是深陷在討人厭的工作細節中而無法自拔，備感痛苦。

就像當年日本漫畫大師水木茂還未走紅前，雖然一直做的是自己喜歡的工作，但卻有一段時間好像深陷泥沼中一樣，無論怎麼努力的畫，作品都賣不好，賣出去的稿子經常被人倒債或只能收到一半的費用，但面對自己喜歡的工作中不如人意的事情，因為他有願景、有實力，所以撐了過來。

雖然有一些頂尖的專業人士，可以挑選自己喜歡的工作做，不過，各行各業中能挑自己喜歡工作做的人真是少之又少！此外，這些人在還沒有成為頂尖之前，還沒有忙到可以挑工作之前，經常也是只要有工作委託上門就會義無反顧的接下來，絕對不會根據自己的主觀好惡來挑工作。

所謂的專業，不單只是有完成工作的技術與能力，更是面對工作的良好態度，雖然是自己主觀上來說不喜歡的東西，討厭的人所委託的，但卻還是能夠好好的將工作完成，不讓自己主觀好惡影響工作的完成。

挑工作，不是在工作之內去挑自己喜歡的項目來做，而是在進入工作之前先想好，此一工作是否是自己喜歡、想做的，確定並且進入工作以後，所碰到的工作細項，無論喜歡還是討厭，都要好好地承接下來並且完成，才是專業人士應有的態度！

6. 第一份工作，該以什麼為重？

薪水

都說剛出社會的年輕人，找工作不要太在意薪水。想來也是，無論去大公司還是小公司，無論應徵的是什麼職位，起薪相差不會超過一萬元，與其找一個薪水高一點，卻對自己職涯發展沒幫助的工作，不如找一個薪水沒那麼多，但能幫助自己開拓職涯，累積專業與工作能力的職場。

產業

除非早就知道自己想做什麼行業，再不然就是能夠學以致用，否則的話，大多數人也都是先求有工作，累積了一定能力之後，再看能否跳到自己想去的產業。研究顯示現在熱門的產業，二十年後，百分之九十九會成為夕陽產業，產業的興衰有其變動性，這點不可不注意。

公司

無論大公司還是小企業，都有他的好處與缺點。大公司的好處是權責分明，薪水福利很明確，上下班穩定，也有專業分工和專業訓練，缺點是深陷組織分工之中，過於專門化，升遷困難，且容易與外界脫節。小公司的缺點是薪水低，倒閉風險高，權責不明，什麼工作都要做，常加班，好處是學東西學得快，且快速學會職場必備的實戰技能。

選老闆

大老闆再好，也是天高皇帝遠，只能向神主牌一樣供奉著，除了平日和親朋聊天時能多說幾個大老闆的八卦，或炫耀一下大老闆當年成功的戰績之外，老實說，大老闆是誰對於剛進公司的菜鳥根本影響不大。

選主管

與其選大老闆，還不如選部門主管。好的主管可以教你做人處事的道理、職場倫理、工作態度，會一肩扛起部門的責任，敢放手讓屬下去拚，不藏私，會教底下人所有該會的專業能力，把屬下當成夥伴而非奴隸。好的主管讓你對公司、職場留下好印象，相信自己有一天也能成功。

不好的主管，隨便罵人使喚人，什麼資源都不給，什麼專長都不教，出事只會推給下屬，有功勞全部自己攬去，跋扈囂張，讓你從此對組織或上司感到害怕、不信任，帶著懷疑與怨恨的眼光看待職場，毀掉自己的職涯潛力。

辦公室

好的辦公室文化，平日裡一團和氣，人與人之間相處融洽，同事是彼此競爭卻又合作的夥伴文化，同事之間會互相支援、幫助，彼此提攜、共同成長。不好的辦公室文化，同事之間彼此彼此猜忌、說閒話，搞小團體，扯後腿，不團結，上班氣氛冷得像冷凍庫一樣，誰跟誰都不說話。

天底下沒有完美的職場環境，不同的職場環境有不同的優點和缺點，不過，還沒有什麼戰鬥力的社會新鮮人，找個好主管和氣氛融洽的辦公室環境練基本的戰鬥力，學會該學的基本功課，應該是比較好的選擇。至於薪水多寡，是不是熱門產業，公司有沒有名，老闆是不是很屌，老實說，真的不是那麼重要。

7. 謙虛是一定要的工作態度

臭屁自大的人最討厭

在職場，最最為人所討人厭的，不是工作能力差的人，甚至也不是人際關係不好的人，而是太過臭屁，自命不凡，自以為國士無雙，認為公司的規矩管不到自己的人。臭屁者往往自視過高，驕傲又自以為是，認為自己很厲害；自滿又難以察覺內在缺失；無法洞見觀瞻，體察世局的變化。

好比說，台灣曾經有個電子業大老闆，太過自負，認為能將台灣的成功經驗複製到歐洲去，因而大手筆收購歐洲企業決定割捨的電子部門。結果，不出五年，讓公司虧了數百億。過度自信而忽略環境的警訊，使得決策陷入個人主觀好惡，卻成了公司的噩夢。

謙虛，以群體和他人的利益為上

謙虛的人，懂得自我控制，把持自我，進退有度，懂得放低身段，不會把自己看得最重要，懂得虛心求教，傾聽他人的意見，不在乎個人成就，會把團體、公司的利益擺在個人之前，會考慮團隊合作，追求共存共榮，務使自己和組織達成一種合諧與平衡，絕對不會一意孤行，不會拿公司或群體的前途來為自己賭一把。

謙虛的人會放下自己，把他人的需求擺在第一位。例如，在面對客戶時，會認真設身處地替客戶的需求著想，不會為了業績胡亂吹噓自家產品、服務。謙虛的人認為，當客戶完成他的目標，自己的目標才能被實踐。自己的業績想要達成，得先幫助客戶達成他的業績。謙虛的人看重他所服務之人、團體的需要，不會心裡只想著自己。面對公司，絕對是公司優先，而非個人優先。謙虛的人知道，公司沒了，自己的飯碗也將不保。

謙虛，群體完成了我的成就

謙虛的人知道，自己之所以能夠有好業績，是因為其他同仁與客戶的幫忙，群策群力，共同完成同一個目標的結果。謙虛的人知道，沒有一個人是完美的，人不可能光靠自己就能完成工作。因此，不會把所有功勞攬在自己身上，他懂得沒有任何一件工作可以獨立完成。唯有好的團隊才能成就他的成就，因此，絕對不會只顧自己，不顧他人死活。

從不自滿，持續努力追求進步

謙虛的人知道自己有所不足，絕對不會自滿，亦不會畫地自限，總是不斷追求成長，積極面對挑戰，超越困境。擁有謙虛企業文化的公司，會不斷改善自己的作業流程與產品、服務，精益求精；相反的，以自己的成就自滿驕傲的公司，不再自我要求，滿足現狀與過去的榮耀，最後被環境與後起之秀給打敗。想想豐田與通用汽車，通用曾經是全球第一的汽車龍頭，豐田曾經只是一家來自日本的小車廠。如今，通用落得必須等待美國政府紓困否則就會倒閉，豐田則取代通用成為世界第一。通用自滿於過去的成就，從不思改進汽車的生產流程與油耗等產品設計，結果被不斷追求進步的豐田超越。

謙虛，才能察覺世界的變化

謙虛的人放低身段，配合世界的需要，自滿的人自視甚高，要求世界配合。面對客戶時，謙虛的人傾聽客戶的需求，針對客戶的需求提出解決辦法；自滿的人嘲笑忽視客戶的需求，以莫須有的自信要求客戶照自己的意見做就對了。

謙虛的人持盈保泰，了解進步永遠沒有終點，永遠存在改革的空間，所以能夠留心市場環境的變化，隨時調整自己，滿足市場的需求。自滿的人認為自己已經達到最好，不再需要改變，因而忽略市場環境的變化，忽略消費者的聲音，結果被時代所淘汰。

謙虛是一定要的

不想被時代變遷與景氣變化所淘汰，上班族必須放低姿態，永遠擁抱謙虛，倒空自己，讓自己的心有空間容納變革之聲，配合環境的變化尋求因應之道，才能在這競爭激烈的環境中存活下來，創造成就。

8. 持續的力量：一件事情做一萬小時才能成為專家

前一陣子，日本知名攝影師森山大道的作品來台展出，有朋友去逛過之後，大失所望的表示：「這就是大師的作品嗎？和一般人拍的作品沒什麼兩樣嗎？」相信這也是不少人對於部分藝文創作者被尊為大師，感到疑惑之處！？作品明明看起來很普通，為什麼會被稱為大師？

以森山大道為例，他最常使用的相機，其實是一般人也會用的傻瓜相機，而我個人以為，其作品的特殊性並不在於構圖等技術性的面向，而是他本身做為攝影師，經年累月不斷地在街頭不斷、不斷地大量拍攝所累積出來的經驗厚度，這些東西貫穿累加起來的東西，才是森山大道作品的力量。

就像天天在報章雜誌上寫文章的作家，作品不可能永遠保持高水準，人或多或少會碰到低潮或身體不好的時候，此時就算能堅持寫作，作品水準也無法和平日的水準下相比。

從單篇作品的水準來看，一般人或許可以寫出超越這些天天在報章雜誌上刊登稿件的專業寫手，然而，如果要一般人也和專業寫手一樣，天天週週月月年年的不斷、不斷地寫，長期穩定地供稿給報刊雜誌，無論陰晴圓缺，你家生小孩還是親人生病，總之沒有任何理由就是要不斷地寫，恐怕能夠做得到的人就少了許多。

運動員也好，音樂家也罷，作家、攝影師……都一樣，專家達人的強韌之處，專家與業餘的差別，不在個別作品本身，而是在能否長期持續地，不斷反覆做同樣一件事情，保持一定水準，還能樂在其中，樂此不疲。

簡單的事情持續做，就不簡單，專家之所以能夠成為專家，說穿了祕訣也只有一點，持續不斷反覆地做同一件事情，務求每一次都比上一次做得更好，縱然偶爾有失誤或低潮，但度過之後，卻可以再攀高峰，且繼續持續不斷地做著同一件事情。

9. 性格也是一種工作能力

在職場待久了，總會碰到一些工作能力很強、專業知識豐厚，人也不壞，卻是怎樣都無法往上升遷，無法被委以重任的同事。仔細回想，這些同事多半在「性格」上比較吃虧，不外乎是「嘴巴壞，愛抱怨」、「愛吃醋、愛比較」，說穿了就是性格上孤僻，不利與其他同事產生共鳴，激發一起合作完成工作之心情。

公司畢竟是一由許多人共同組成的團隊、組織，成員間能否彼此協調、互助、互補、配搭以完成工作，對公司的成敗來說，是非常關鍵的事情。故而不擅長與其他人建立關係，帶動團隊成員的員工，就算能力再強，除非能被派到不需與其他同仁有太多聯繫，自己一個人也能獨立完成的部分工作，否則的話，很難生存下來！

說殘酷也是很殘酷，但是，組織型社會的確不利性格內向、害羞、孤僻的人存活。若是自己不巧是性格孤僻，不愛與人Social，只有兩種方法解決。

一是改變自己的性格，學習積極融入群體，只不過這條路非常辛苦，畢竟江山易改本性難移，內心必須有徹底大改造的覺悟，再佐以一些教育訓練、心靈成長課程，或許有機會成功。

二是退出職場，轉行當SOHO。組織型社會雖然大多數人都在公司任職，但也因為商業社會的逐漸複雜化，需要的各種專家種類增加，也有越來越多人離開組織，靠其專業知識謀職，另外還有一些產業本身就靠著鬆散的協力網絡的組合來運作，例如電影、戲劇、音樂、出版、體育……這類產業理的專業人士多半以短期的任務編組方式參與企業組織的工作，完成工作後隨即拆夥，投入下一個工作。協力網絡工作要求的是專業能力，雖然彼此協調的能力也很重要，不過因為不用成天與公司裡的其他同仁面對面相處，相對來說所需的社交技能減少很多，特別是專業能力超群，總是能準時完成工作且讓案主滿意者，通常性格孤僻一點，少與其他人互動，也能被人接受。

關鍵在於，我們必須了解，「性格」也是一種工作能力，我們必須了解自己的性格究竟是適合待在公司組織裡發展，還是以協力網絡的方式與組織合作，找出最適合自己的方法，找到自己在職場上的存在方式，發揮最大功效之餘，替自己創造事業高峰！

10. 出社會第一年，一定要學會的十件事

不少主管抱怨現在的年輕人難用，又不知道該怎麼教，感覺很頭痛；年輕人則覺得公司組織很麻煩，規矩很多，主管比爸媽管得還多，覺得自己和職場格格不入。蓋伊．川崎在《打你個小人手！萬年職場生存術》一書中指出，初出社會的年輕人只要學會十件事情：

1. **學會和老闆說話**。現代年輕人多半在溺愛的家庭長大，且與父母師長多在強調平輩溝通的環境下成長，在與人溝通方面沒大沒小慣了，比較不懂如何以尊敬的口吻對長輩或位高權重者說話，幫助年輕員工學習和老闆說話的正確態度，就可以有效減少老闆對年輕員工所產生的不滿。很多時候，年輕員工也不是真的能力差，就是不懂得以老闆能接受的方式表達而已。

2. **撐完會議**。年輕人的優點是誠實，無趣的東西就會直接表示沒興趣，但在職場卻不能如此隨性自由，開會就是一例，明知道是冗長無趣的會議，學著

培養耐性或找事情轉移焦點，讓自己撐完一場冗長的會議，是年輕人職場社會化必學的功課。

3. **主持會議**。被迫參加會議已經很慘了，更慘的是還得上台主持會議。不過，職涯遲早都會得輪到主持會議，早點開始學習也不是壞事。主持會議的關鍵就是訂下的規矩一定要執行，例如開會時間到了，就算人還沒到齊還是照樣開始，不跑題，不作無謂的發言，準時結束，會議時間越短越好，不開沒必要的會議。只要能做到上述幾點，你就是成功的會議主持人。

4. **懂得自學工作上所需要的技能**。在公司，每個人都很忙，都得有三頭六臂才能應付忙碌的工作，不會有人有時間坐下來慢慢教菜鳥，特別是熟悉公司的行政庶務所須使用的軟硬體設備（就算真的有人好心願意教，大概也以一次為限），所以應該懂得如何從旁觀與模仿的方式，自己摸索學會工作所需的技能。

5. **與人協商溝通**。職場講究團隊合作，不喜歡獨行俠，團隊合作的關鍵不在和其他同事虛偽的好來好去，說些言不及義的甜言蜜語，而是能夠徹底了解每一個需要合作的專案，做好充分的準備，了解每一個人在團隊與專案中的角色與任務，給對方真正需要的東西，讓專案沒有阻礙的順利成功，就是好的溝通協商。

6. **懂得哈拉打屁**。和同事閒聊打屁當然是很重要的人際溝通方式，記得一個關鍵，多問一些能讓對方多說一些自己的近況的問題，多聽少說，除了能讓人覺得自己很懂事之外，還能從傾聽中學到許多意想不到的好東西。懂得５、６兩點，就會知道該如何與同事相處。

7. **三十秒電梯法則**。大老闆都很忙，只有30秒聽你作一個簡單扼要的報告，且沒有腦袋聽太多複雜的論證，必須學會在30秒之內把該說的話清楚的說完，祕訣就在事先準備，反覆練習，熟能生巧。

8. 寫「一頁」長度的報告。無論甚麼樣的工作報告，記住，都要以一頁為限，先說結論，再把重要的幾個觀點的觀點陳列出來就夠了，不用囉嗦太多細節，細節只有負責執行的人需要知道，老闆不需要知道。

9. 同第八點，學習寫簡短扼要的Email。能夠以五句話說完的就不要說六句，不過，再簡短的Email都記得要包括標題、抬頭（尊稱）、問候、正文、問安、署名與時間。

10. 學會使用Power Point與電話語音留言。前者是會議報告的重要輔助工具，上班族一輩子都得使用的重要工具，後者是幫助自己在找不到聯絡人時，能讓對方知道自己在找他的工具（但卻很少人重視），就抱持以口述寫Email的態度來看待電話語音留言（補充說明：現在有Line等線上通訊軟體固然方便，但工作上的聯絡溝通務必以確認對方是否收到你的訊息為上，因此千萬不要在通訊軟體上丟了訊息就以為對方收到了，得想辦法確認對方真的收到訊息並且回覆）。

初出社會的年輕人如果能在職場第一年學會上述十件事情，我敢保證，這個人一定會成為職場上搶手的優質人才。公司的人力資源主管們也不妨把這十件事情，當作訓練社會大學一年級生的重點項目來執行，相信對於提升年輕人的耐操使用良率上，會有很大的效果。

附錄

大學的十八般武藝：生涯十八問

看完整本書之後呢？靜下心來，好好問自己下面的問題，透過自問自答，你將更了解自己，也更能明白書中道理而更有實踐的動力！千萬不要把書丟到一旁，繼續依然故我的虛度大學生活！無論你是即將上大學、大一新生，或者二三四年級生，現在就提起精神，問問自己該要如何調整，才不愧對大學生活，才可一步步接近自己的理想！

第一問：我為什麼要讀大學？

這個問題，沒有人能替你回答，問問自己，搞清楚自己的初衷，並記錄下來。之後在大學幾年間、甚至出社會，當你快要放棄、脱離心中的軌道時，回想自己的初發心是什麼，才能常常調整自己，也不容易被困難給打敗。了解自己之後，接下來的每一問對你來說才有意義和實質的幫助——你也才會甘心去努力實踐，甚至樂此不疲。

第二問：如果我讀的科系不是自己的理想型呢？

先別急著放棄。在真正念一個科系之前，大部分人心中「理想」的科系是想像出來的，它或許有更高的聲望、是別人的期待，卻不是你真心的嚮往。人不該未審先判，多花點時間了解一下自己的學校／科系，也許它沒有你想像的那麼糟，多花點心思試試看，說不定會找到自己的興趣或天賦所在！但如果你試了，真的確定這不是自己想要的，務實的建議是，與其花時間準備轉學或轉系考，不如在學校修個輔系或雙主修，日後再挑個好研究所攻讀，會是最省力且效益最大的選擇。另外，你也可以透過網路找到非本科系的資訊自我充實，國內如台大、交大有線上教學平台；國外如哈佛大學、麻省理工學院都有開放線上課程讓大學生多元學習。無論如何，重點在於，別讓理想落空的怨嘆侷限了你未來的發展。

第三問：大學的重點在於？

搞懂大學的重點，施力才會輕鬆而有成效。大學是作為一種方法論而存在的，在大學裡要學的不是各種各樣的知識內容，而是產出這些知識內容的方法。Learn how to learn 絕對是你必須掌握的關鍵。網際網路發達的今天，如果只是想要知道知識的內容，上網 Google 就好了，網路上隨便找就能找到一堆答案。大學生涯最首先必須掌握的，不是什麼外語能力或專業知識，而是自我進修做學問、獨立思考的能力；其次是人際關係與人溝通的經營能力、行政執行的能力；再次才是外文能力。你搞懂了嗎？抓到重點之後，你便可以開始思考，安排大學生活了！

第四問：大學期間，我想要如何安排？

● 規劃九宮格 ●

如果你不知道該怎麼規劃，不妨參考下頁的九宮格範例。中間是九宮格的主題，旁邊八個小空格，可以依照順序或任意寫下你期待的，各方面的大學生活樣貌。你可以發散思考，分別填入想達成的事項；或者依照時間順序，填入你達成目標的步驟。如果想不到那麼多，練習逼迫自己思考，盡量補滿它；要是你想寫的超過八格，試著歸納它，簡化至八格。八格又可以分化出八個九宮格，寫下細項規劃。這個動態的九宮格可以無限延伸，幫助你越來越清楚自己大學生活的輪廓、努力的方向。

＊若想進一步瞭解九宮格思考方法，請上網搜尋：曼陀羅九宮格

範例說明：

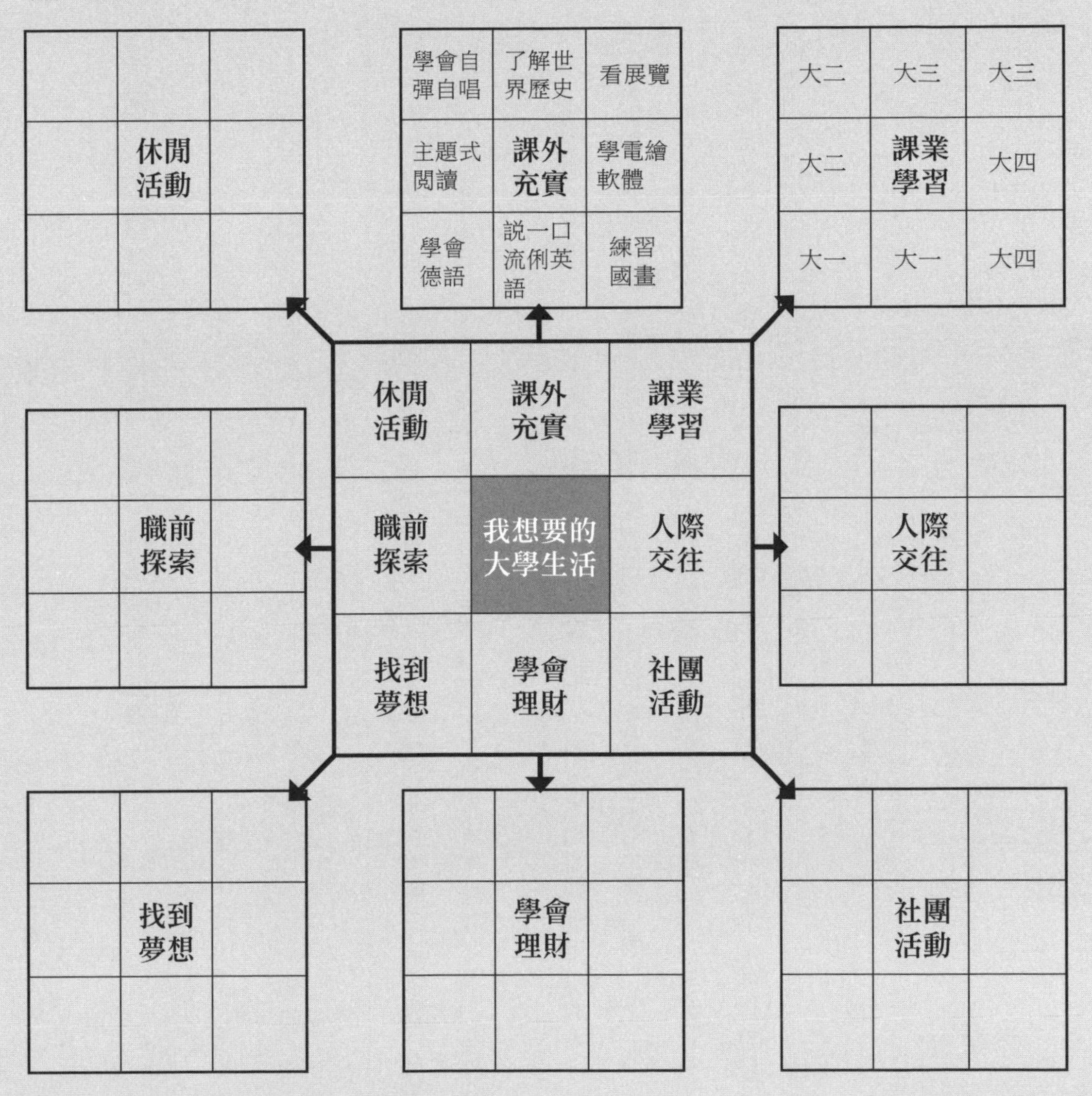
休閒
活動
學會自
彈自唱
了解世
界歷史
看展覽
主題式
閱讀
課外
充實
學電繪
軟體
學會
德語
說一口
流俐英
語
練習
國畫
大二
大三
大三
大二
課業
學習
大四
大一
大一
大四
休閒
活動
課外
充實
課業
學習
職前
探索
我想要的
大學生活
人際
交往
找到
夢想
學會
理財
社團
活動
職前
探索
人際
交往
找到
夢想
學會
理財
社團
活動

第五問：怎麼樣才可以具備獨立思考、解決問題的能力？

解決問題的能力就藏在學科知識生產的方法中，大學四年所寫的研究報告、開書考、參加的社團活動，都是在幫助學生反覆實際操作進而熟練這套解決問題的方法。碰到疑問，不要害怕去質疑。

大學是最幸福的時代，因為還是學生，還在學習，但又足夠成熟到可以進入社會鍛鍊一下，於是學校、社會抱著接納的態度讓大學生進入，在這裡嘗試展現在學校所到的一切。

最好的獨立思考訓練，正如同前面空白的線，無論看到什麼事，腦海裡都自動出現這些空白的線，思考問題，再想一想自己要怎麼回答，之後再去查查資料，核對心中的想法，在一次次的辯證中，自然而然形成自我價值，培養出獨立思考的能力。

第六問：怎麼樣安排目前的打工生活？

先問問自己打工的目的是什麼？時間上的分配適當嗎？最好還能夠想想這份打工和自己的興趣、未來生涯之間的連結，並培養起理財的正確觀念，才不會白白花費時間，卻一無所獲。想完這一問，還要回過頭，看看自己現在打的工和前面已問的回答是否牴觸？

打工的好處不少，像是學習獨立，職場預先社會化，學習和社會人相處，建立人脈，了解自己未來的工作性向，減少經濟壓力，趁早開始財務規劃等等。但是切記不要過度沉迷於打工，葬送一生中可以讀最多書、思考最活躍的寶貴大學生涯。其實不僅打工，學校內的社團活動、志工團隊，也都可以訓練你預先為職場生涯準備，不管你如何抉擇，只須記得在每個當下你都感到充實，進入職場才不會徒嘆徒傷悲。

第七問：進入職場後，小菜鳥怎麼辦？

剛要踏入職場的大學生，難免生澀緊張，但若是你搞清楚前面六問，到了這一步也不需要太擔心了。離開學校後，不但更需要認真讀書，面對基礎工作，更不可以輕易忽略，要扎實鍛鍊，萬丈高樓平地起，輕忽基礎而好高騖遠者，永遠難成大事。如果你以不幸感到職業倦怠，也不要輕易讓它蔓延，換個角度、想法，為工作增添一點樂趣，惟有在樂趣中的學習記憶，才會歷久彌新。在龐雜的工作中，難免會遇到一些自己不喜歡的事，但請記得愛己所選，所謂的專業，不單只是有完成工作的技術，更是面對工作的良好態度，就算不喜歡，卻還是能夠好好的將工作完成。不讓自己主觀好惡影響工作的進行，這就是一種專業精神。

剛出社會挑工作，不是在工作之內去挑自己喜歡的項目來做，而是在進入工作之前先想好，此一工作是否是自己喜歡、想做的，確定並且進入工作以後，所碰到的工作細項，無論喜歡還是討厭，都要好好地承接下來並且完成，才是專業人士應有的態度！

第八問：

請練習想一個關於大學生涯，自我檢視後發現的問題，並寫下自己的解答。

第九問：愛情學分對我來說，是選修還是必修呢？

大學時期，正好是年輕人對於愛情充滿最美好願景的階段，尤其很多孩子離家念書，終於可以躲過父母的「禁愛令」，更是對純純的愛情躍躍欲試。沒有錯，正如書中提到的，大學經驗裡的每一個環節，都可以做為未來茁壯的養分，你可以在愛裡學會分享、包容、付出，為將來穩定的男女關係打下堅固的基石；不過，這絕對不表示愛情學分就是大學的必修課程。在感情裡，除了遇到真正相知相惜的另一半，更重要的，是必須先懂得「愛」對自己來說的定義。

有些人，對於愛情抱持著過多的佔有；有些人，無法給對方自由的空間；有些人的愛情只限於肉體關係……這樣下去，愛情學分不但不可能修好，在眾多負面情緒的影響下，更有可能連帶影響到其他的大學生活環節，若不幸成為（遇上）了恐怖情人，嚴重者則會禍及一生。

所以，在面對憧憬前，建議你先問問自己，你準備好接受一切的可能性了嗎？面對愛情裡的不完美或不如預期，如果你都有把握能坦然面對與學習，那麼不管愛情學分是選修還是必修，相信你都能在這門課程裡怡然自得，收益良多。

第十問：我該找哪些途徑來建立往後的人脈？

經營人脈的方向有兩種，你可以選擇適合你當前狀況的方式來選擇。

第一種是廣納善緣型，如字面上的意思，只要這個人有值得學習、值得拿來警惕之處，皆可以與他結交，這種類型的好處在於，你的心胸跟眼界容易被他人拓展，各個領域皆有所涉，進入職場後也有各類人馬可以支援、可以請教，不管直接或間接，一定都有所助益；不過，因為這種做法需要在大學各類社交生活上多花很多時間，如果你本身不是個外向熱情的人，這樣的做法可能就不太適合你囉！

至於第二種，則是目標明確型。適合對自己的未來理想已經有明確方向的人，例如文藝青年，大學時期就開始與同好創辦文學社團，廣交文藝界人士，進入職場後直接就可以順利打入文學圈；有志創業者，則擅與該領域專精人才交往，從學生時代就培養出了深厚的打拼情誼。這種人的社交範圍較小，但因為一開始就鎖定目標，所以人脈網絡百分之百會在出社會後派上用場。不過，這種類型也有缺點，就是可能因太過專注於特定領域的經營，而忽略了其他領域人脈的結交，真的有求於他人時，就會比較困難囉！

講「人脈」二字，怕有些人會誤將其跟「利益」做直接的連結，其實這邊所說的人際交往，首重「真心」，如此關係才能長久，也才能達到互助互益的善循環，不然，在大學時期就學會勢利，對職場上的人際發展也是有損無益的。

第十一問：要念研究所，還是直接出社會呢？

首先你要捫心自問：「研究所對我而言有什麼意義？」

現在，很多學子因為害怕面對畢業後找工作時競爭的洪流，於是便帶著一種不想這麼快踏入社會的逃避心態，而決定繼續在學術的道路上繼續攻讀，然後安慰自己，現在大學生比比皆是，學歷念高一點，未來才有機會跟別人競爭；但真的是這樣嗎？

研究顯示，現在的研究生畢業，最多約只比大學畢業生多領伍仟元的底薪，再加上研究所已被越來越多人當成逃避現實壓力的避風港，文憑照樣貶值，更別提與你同一屆大學畢業的年輕人，在你可有可無地念著書時，早已經在職場上累積了兩三年經驗與人脈，論效率與思維，可不見得會輸給你喔！

並不是說念研究所就完全無用，上面說的，是單純就「不想太早出社會」的想法來論述的。但研究所的真義就是真的要對某一個學科進行深入的研究，所以要念得好、念得快樂，第一是要對「作研究」本身有一定的熱情，第二，則是要對該學科抱有求知的熱忱，綜合以上，你才真正可以擁有豐富的研究所生活，離開學校後，也算是個腦子裡「真的有東西」的研究生，自然才會擁有比大學畢業生更多的競爭力。

第十二問：請回顧你的學生生涯（無論是大學還是國高中），並寫下你的知心好友。

有很多人說，學生時期交到的朋友要好好珍惜，因為進入職場以後，就很難交到知心好友了。這並不是代表出社會以後遇到的人絕對都陰險狡詐，而是，當你為現實、生活、夢想忙碌時，往往就無力於下班後的寒暄交際，即使不得已要去應酬，也可能是在一副笑臉下藏著疲憊的身軀。

「好朋友」就是志同道合的一群人，因為你們的摩擦在學生時期就經歷過了，所以心情不好不用造作、懶得搭話也無須隱藏，光是靜靜坐著，就可以為彼此補充能量，在這裡回顧好朋友的用意，就是要自己時時刻刻記得，當遇到挫折、歷練、磨難時還有他們可以傾訴，現在也許還不覺得，可以待時間慢慢證明。

第十三問：出國念書對我來說是必要的嗎？

現在的大學為因應國際化的趨勢，大多會跟國外大學締結姊妹校的關係，以便兩方學生互相來往交流，不過在學期間，能因此到國外歷練的學生佔整體來說畢竟還是少數，看著同學們回國後分享國外見聞，談吐也變得不太一樣，你是不是會升起一絲羨慕之情呢？

因為現在生育率普遍下降，孩子都是父母的寶，為了培養他們的競爭力，有能力的家長崇尚直接送出國，社會上也普遍有著「喝過洋墨水」就比較厲害的迷思。但是，這裡希望學生們可以記住，只要你想，不管在國內或國外，都可以培養國際競爭力，諸如語言的養成、視野的開拓、觀念的建立等等，皆可以透過書本、講座、參與國際志工團體來培養，千萬不要單純為了「畢業出國」或「大學時期出國」的夢幻表象，過度省吃儉用來達成目的；其實就有很多學生出了國，卻對自己的國外生活沒有任何實際的期許跟規劃，不僅沒學到什麼東西，還花了好大一筆冤枉錢，對自己、對家長來說只是買到一個「曾經出國念書」的光環，實則鏡花水月，得不償失。

第十四問：我對於「休學」的看法是什麼？

大學四年，你會用什麼眼光看待休學的同學？又或許，「休學」的念頭也曾經在你的腦海中悄悄升起過，但無論是因學業失意、家庭經濟、考試壓力或同儕不睦的因素，都切莫將其與「失敗」劃上等號。

「休息是為了走更長遠的路」這句話，對許多人來說也許是陳腔濫調了；但最了解自身情況的最終還是自己，若你感到壓力逼得你喘不過氣，也已經考慮的足夠清楚，此時旁人的冷言冷語、親友的不諒解等等就只是次要了；要記得，別人可以給建議，但他們不能幫你負責你的人生。

暫停學業意味著必須要離開一批熟悉的人、熟悉的環境，等到下次再回來又得再重新適應，所以的確需要莫大的勇氣。在這段時間裡，要好好規劃自己的日常生活，如果休學是為了經濟壓力，就好好努力攢錢；如果是為了探索理想，那就放膽去闖；如果是為了專長培養，那就投身校外課程，細心經營，等到重回校園之際，一樣會具備強大的競爭力。

第十五問：對畢業後的自己來說，你覺得怎樣的理財方式較為合適？

社會新鮮人薪資相較於物價來說的確較為低下，所以要具備職場接軌力，除了大學時期培養的軟實力之外，還必須擁有一定的理財觀念與想法。

為什麼這麼說呢？儘管你想從小職員做起，生活也需要一定的花費、持續地投資自己也需要一定的開銷，更別提如果想創業，則錢財的流動控管與風險控制能力一定是不可或缺的。我身邊有很多大學畢業生，在學時對未來有理想、有抱負，但出了社會卻因為金錢來源的縮減，眼界被「節約」二字綁住而不自知，不僅生活得毫無品質、搞壞身體，且長期的蝸居更啃食了原本對夢想的渴望；所以我才會說，意識到「理財」這件事，真的非常重要。

書中並沒有詳述理財法門，畢竟這不是一本以財務管理為導向的書。但在四年的期間裡，你至少該對理財的各種方法略有了解；以後再以自己的工作薪水為基礎，找出最適合自己的理財法門，如此才不枉費你辛苦培養的軟實力，被初入社會時現實的薪資結構給呑沒喔！

第十六問：請寫下你畢業後一年內的10個短期目標，並排出輕重緩急的順序。

第十七問：呈上題，你要如何去實踐它們？試著寫出幾個可行的具體作法吧！

第十八問：現在的生活，是我要的嗎？

經過對前面問題的回答，你對大學生涯與未來職場生涯，應已經有一定的想像甚或是實踐心得。所謂的信解行也就是如此：預先想過自己的信念、價值，並通過了解自己，最後再透過實踐，不斷修正內心的想法，進而改變自己的做法，如是循環。

最後一問，就是要你捫心自問，這樣跟著做之後，生活是越來越接近自己理想的樣子，還是越過越痛苦？如果是前者，那恭喜你，找到了大學生涯、甚至是人生的方向；但如果是後者，那也別氣餒，回到第一問再問問自己，為了什麼而努力？為了什麼而付出？重新調整方向後再出發，相信你會找到自己最滿意的方法來過大學生活，進而朝人生的理想目標邁進。

NOTE

大學生的秘密私語，隨手寫下你的心得點滴吧！

附錄

我不是草莓族！鍛鍊抗壓體質，請你跟我這樣做

許多的社會新鮮人，能有千百種理由來臨陣脱逃，工作只要稍有不合意的地方就大打退堂鼓，隔天就拍拍屁股走人，這些都是社會新鮮人最讓企業害怕的「抗壓性不足」所造成的現象。

無論你是一捏就爛的草莓族，還是一踩就扁的溫室花朵，社會新鮮人抗壓性太差也常遭眾多企業詬病，這也是大學畢業生在職場上難以順利的一大因素！因此，如何在出社會之前，鍛鍊抗壓體質，增加抗壓性，也是非常重要的一件事。

一、生理

● 運動

運動對增加抗壓性確實有很好的幫助，同時它也是減壓的最佳方法，有強健的體魄就能增加壓力的承受度，也能增強自信心。因為運動能讓體內血清素增加，不僅幫助睡眠，也讓人有好心情。不論什麼運動，只要養成良好的習慣，把握 333 原則，就是 1 周 3 天，每次 30 分鐘，心跳達 130 下即可，像是快走、慢跑、游泳都是很好的選擇。

● 腹式呼吸法

可幫助身體放鬆，減少壓力的負面影響。方法很簡單，先將手輕放在腹部，然後慢慢的吸入空氣，當手隨著腹部緩緩而起，這時稍微屏住呼吸，讓吸進去的空氣先停在腹部，再輕輕吐氣。只要經常練習，並記住當下放鬆的感覺，就有利於你感受到壓力時，能隨時靜下心來，不致緊張、恐慌或易怒。

●飲食

吃對食物也能助抗壓。食物為百藥之源，從日常生活隨手可得的食材中，多吃有益情緒穩定的食物，就不容易緊張，也就能得到紓緩壓力、增加抗壓性的能量來源。

※維生素B群：

功效：包括維生素B1、B2、B6、B12。因B群參與身體能量代謝，所以坊間常見的提神飲料主要成分就是維生素B群。

來源：平日應多攝取全穀類食品以及適量的瘦肉、動物內臟、蛋類、牛奶、乳製品、酵母等。

※維生素C：

功效：有良好的抗氧化作用，壓力大時，維他命C的補充是不可或缺的。

來源：主要來源於蔬菜水果，如花椰菜、綠豆芽、芭樂、柑橘類、奇異果等。

※鈣、鎂、鋅、鐵：

功效：這些營養素具有放鬆肌肉、減輕疲勞、讓意志力集中以及穩定、安撫情緒的作用。

來源：建議可從奶製品、豆腐、海鮮類、香蕉、深綠色蔬菜、堅果類、五穀類、牛肉等等，攝取足夠的營養素。

二、心理

人生不如意事十之八九，想要獲得成功，自是要經歷許多的磨練與挑戰。而成功者的特質，就是抗壓性強、能夠勇敢面對挫敗，甚至可以由挫折中學習、提升自己，讓挫折變成下一次成功的墊腳石。

每個人能承受的「抗壓能力」是後天慢慢累積起來的，到底社會新鮮人該如何培養抗壓性來勇敢的面對職場壓力，繼而能承受挫敗，愈挫愈勇？你可以試著這樣做。

●凡事選擇正面思考

你若用正面的角度去看事情，則所有的事情都是好事情，每個改變也都是好的改變，思維轉個彎，事情就會改觀，所有的危機也都會變成轉機。

●自我肯定，建立信心

每個人身上都有一些別人不及的長處，把羨慕別人的眼光移開吧，多看看自己，肯定自己，建立自信心，就不會害怕得不到別人的肯定或覺得不如人，而常感到壓力。

●說出困難，尋求出口

當有負面想法或情緒時，可以適時的找身邊的親朋好友談談，尋找支持與幫助。因為開口說話、傾吐可以幫助紓解壓力，但千萬一定要找正面想法的人來宣洩，如此才能強化自己的正面想法，能夠勇敢地面對壓力。

●認清環境，調整心態

人是一種習慣的動物，在沒有壓力的環境中生活，自然壓力承受度就小，但如果經常處於有壓力的狀態下，久而久之也就會習慣了，刺激多了、磨練久了，抗壓性自然會增加了。所以，一定要認清所處環境，調整自己的心態，把吃苦當吃補，畢竟凡事要成功，都需要毅力以及一點點的勉強。

●勇於嘗試，從錯誤中學習

沒信心的人做事通常都比較保守，不敢嘗試，抗壓性自然差。所以遇到事情時要時時提醒自己，不要怕，即使做錯了也不要緊，每個人都會犯錯，能從錯誤中學習才是最重要的。如此一來，就會有勇氣去嘗試、接受磨練，遇事也不會再臨陣脫逃了。

畢業不怕失業！除了學歷，你更需要的是職場即戰力

大學是最好的「職前培訓班」，專業＋軟實力同步養成！

作　　者　王乾任
顧　　問　曾文旭
總 編 輯　黃若璇
編輯總監　耿文國
特約美編　海大獅
特約編輯　陳蕙芳
法律顧問　北辰著作權事務所　蕭雄淋律師、嚴裕欽律師

印　　製　世和印製企業有限公司
初　　版　2016年11月
（本書為《我不是天才，但我要當未來的人才！》之修訂版）
出　　版　凱信企業集團-凱信企業管理顧問有限公司
電　　話　（02）2752-5618
傳　　真　（02）2752-5619
地　　址　台北市大安區忠孝東路四段250號11樓之1

定　　價　新台幣260元／港幣87元
產品內容　1書

總 經 銷　商流文化事業有限公司
地　　址　235新北市中和區中正路752號8樓
電　　話　（02）2228-8841
傳　　真　（02）2228-6939

港澳地區總經銷　和平圖書有限公司
地　　址　香港柴灣嘉業街12號百樂門大廈17樓
電　　話　（852）2804-6687
傳　　真　（852）2804-6409

國家圖書館出版品預行編目資料

畢業不怕失業！除了學歷，你更需要的是職場即戰力/王乾任著.
-- 初版. -- 臺北市 : 凱信企管顧問,
2016.11
面；　公分
ISBN 978-986-5916-92-3 (平裝)
1.大學生 2.生涯規劃

525.619　　105020173

請貼郵票

106
台北市大安區忠孝東路4段250號11樓之1
凱信企業管理顧問有限公司 收
電話：(02) 2752-5618

請沿線反折、裝訂並寄回本公司

請沿線剪下來

寄件人：____________________

地址：□□□ ____________________

讀者回函卡

親愛的讀者，感謝您購買《畢業不怕失業！除了學歷，你更需要的是職場即戰力》歡迎您針對本書內容填寫讀者回函卡，以作為我們日後出版方向的參考，我們將不定期寄發新書相關活動資訊給您，並持續為出版膾炙人口的好書努力。再次感謝您的支持！祝福您有個美好的閱讀時光！

您的姓名：＿＿＿＿＿　聯絡電話：＿＿＿＿＿＿＿＿

傳　　真：＿＿＿＿＿　e-mail：＿＿＿＿＿＿＿＿

出生日期：＿＿＿年＿＿＿月＿＿＿日

您的學歷：☐高中及高中以下 ☐專科與大學 ☐研究所以上

您的職業：☐製造業 ☐銷售業 ☐金融業 ☐資訊業 ☐學生
☐大眾傳播 ☐自由業 ☐服務業 ☐軍警 ☐公務員 ☐教職員 ☐其他

您在何處購得本書：☐金石堂書店 ☐誠品書店 ☐大賣場 ☐一般門市 ☐網路書店
☐ K-shop

您為何購買本書（可複選）：

☐親朋好友介紹 ☐內容吸引人 ☐主題特別 ☐促銷活動 ☐作者名氣

☐書名 ☐封面設計 ☐整體包裝 ☐網際網路：網址＿＿＿＿＿＿＿＿

☐其他＿＿＿＿＿＿＿＿＿＿＿＿＿＿＿＿

您對這本書的評價：☐很好 ☐好 ☐普通 ☐差

您會推薦本書給朋友嗎？☐會 ☐不會 ☐沒意見

您最想看哪些作者、題材的書：＿＿＿＿＿＿＿＿

您最感到頭痛的生活問題是什麼：＿＿＿＿＿＿＿＿

給予我們的建議：＿＿＿＿＿＿＿＿

請沿線剪下來

凱信企管

用對的方法充實自己，
讓人生變得更美好！